세상을 바꾸는
퍼스널 브랜딩

여성작가 10인의 찐 스토리

세상을 바꾸는
퍼스널 브랜딩

여성작가 10인의 찐 스토리

발 행 일	2024년 5월 16일
지 은 이	강경아 김민영 김선아 김옥희 박미정
	박선정 서미화 서연하 윤지원 홍은희
기 획	강경아, 서연하
편 집	서미화
디 자 인	박성하
발 행 인	권경민
발 행 처	한국지식문화원

출판등록	제 2021-000105호 (2021년 05월 25일)
주 소	서울시 서초구 서운로13 중앙로얄빌딩 B126
대표전화	0507-1467-7884
홈페이지	www.kcbooks.org
이 메 일	admin@kcbooks.org
ISBN	979-11-7190-020-6

강경아 김민영 김선아 김옥희 박미정

세상을 바꾸는
퍼스널 브랜딩

여성작가 10인의 찐 스토리

한국지식문화원
BOOK PUBLISHING

박선정 서연하 서미화 윤지원 홍은희

세상을 바꾸는 퍼스널 브랜딩
여성작가 10인의 찐 스토리

성북50플러스센터에서 함께 뜻을 모은 10인의 여성작가가 선물하는 '찐' 퍼스널 브랜딩 스토리 '세상을 바꾸는 퍼스널 브랜딩: 여성작가 10인의 찐 스토리'가 세상에 나왔습니다.

10인의 평범하지만 위대한 여성 1인기업가 퍼스널 브랜딩 이야기입니다. 삶의 경험과 노하우를 녹여 한 권의 책으로 세상에 노크합니다.

죽음의 고비, 사업 실패, 인생의 고난과 역경을 이겨낸 우리 주변 작은 거인들이 세상에 던지는 새로운 도전 메시지입니다.

10인 10색 삶의 스토리가 던져주는 가슴 울림과 희망의 메시지가 독자들 인생의 새로운 길라잡이가 될 것입니다.

함께한 작가들은 글쓰기를 통해 자신을 돌아보는 성찰의 시간을 가졌습니다. 자신을 돌아보며 스스로 치유되는 카타르시스를 느꼈습니다.

인생의 전환점이 필요한 독자에게 던지는 10인의 용기와 희망의 메시지가 꿈과 희망을 주고 삶을 변화시킬 것입니다. 나를 찾아가는 작가들의 여정을 통해 독자도 자기를 발견할 기회를 가질 것입니다.

멋진 항해를 마무리한 작가님들과 이 책을 읽으시는 독자분들께 경의의 박수를 보냅니다

소중한 기회를 만들어주신 성북50플러스센터 관계자분들께 진심으로 감사의 말씀 드립니다.

권경민
프로젝트 리더
한국지식문화원 대표

TABLE OF CONTENTS

강 경 아

kka002486@naver.com

커넬대학교 교수
한국저널리스트대학교육원 교수
(사) 1004클럽나눔공동체 교육국장
(재) 국제생명살리기운동재단 서울본부 교육국장

"모든 생명은
존중받을 자격이 있습니다."
<Albert Schweitzer>

생명존중교육은
행동하는 사랑 입니다!

생명존중의 의미와 가치를 실현하는 1004생명존중교육!

생명존중의 의미

'생명'이란 무엇이며 생명이 지니는 본질적 가치는 무엇인가?

이러한 의문은 우리가 살아가는 과정에서 한 번씩은 고민해 봐야 할 내용입니다.

생명존중은 모든 생명에 대한 존중과 보호를 의미하며 인간뿐 아니라 동물, 식물, 자연환경 등 모든 생명체에 대한 존중과 배려를 표현하는 개념입니다.

이는 우리가 서로를 존중하고 배려하며 공존하는 사회를 구축하기 위해서 꼭 필요한 가치이기도 합니다.

인간의 존엄성, 윤리적 책임, 생태계의 균형 모든 것이 중요하지만 현재 우리나라가 겪고 있는 가장 큰 심각한 문제는 자살 문제입니다.

정신 건강 문제, 경제적 어려움, 학교폭력, 사회적 차별, 가정 내 폭력 등 현대의 경쟁사회 속에서 과도한 스트레스가 자살의 원인이 되고 있습니다.

다양한 요인들의 상황과 경험에 따라 달라질 수 있는 변수들을 예측하고 예방하는 것이 생명존중 교육하는 가장 큰 의미가 되는 것이 현실입니다.

생명존중교육의 가치

제가 생명존중 교육에 관심을 갖게 된 것은 사랑하는 아들이 겪어야 했던 학교폭력의 피해로 삶을 놓아버리고 싶을 만큼 아팠던 순간이 있었기 때문입니다.

회복할 수 없는 정신장애를 입게 된 아들 앞에 엄마로서 무너질 수 없어서 그렇게 시작한 공부가 오늘 저를 있게 했습니다.

아들을 위한 시간이 저를 위하는 시간이 되었고 이젠 타인을 위해 생명사랑을 전하는 교육 강사가 되었습니다.

그 시간 속에서 제가 느낀 건 생명존중교육은 인간이 갖추어야 할 따뜻한 인성을 배울 수 있는 귀한 교육인 것입니다.

배려, 나눔, 봉사, 사랑, 존중, 평화, 감사, 정직, 행복, 겸손, 자유의 가치를 생명존중교육을 통해서 실천하기를 기원합니다.

자살예방교육의 방향성

1. *정신건강 인식 개선:* 자살예방의 첫걸음은 정신건강에 대한 사회적 인식을 개선하는 것입니다. 정신건강 문제를 겪고 있는 사람들이 스티그마 없이 도움을 요청할 수 있는 환경을 조성해야 합니다. 이를 위해 대중매체와 SNS를 통한 긍정적인 캠페인과 교육 프로그램이 필요합니다.

2. *접근성 높은 정신건강 서비스 제공:* 전문적인 도움을 쉽게 받을 수 있도록 정신건강 서비스의 접근성을 높이는 것이 중요합니다. 이를 위해 정신건강 상담센터의 확대, 상담 비용 지원, 온라인 상담 서비스 등을 강화해야 합니다.

3. *조기 발견 및 개입 체계 구축:* 위험군에 속하는 개인을 조기에 발견하고 적절한 지원을 제공하는 체계를 마련해야 합니다. 학교, 직

장, 지역사회에서의 정기적인 정신건강 교육과 스크리닝을 통해 위험 신호를 조기에 포착하고 개입할 수 있어야 합니다.

4. *사회적 연결망 강화:* 사회적 고립은 자살 위험을 높이는 주요 요인 중 하나입니다. 가족, 친구, 지역사회와의 긴밀한 관계를 통해 개인이 사회적 지지를 받을 수 있도록 하는 프로그램이 필요합니다.

5. *학교 및 직장 내 교육 강화:* 학교와 직장 내에서 정신 건강 및 스트레스 관리에 대한 교육을 강화해야 합니다. 이를 통해 자살을 고려하는 개인이 도움을 요청할 수 있는 문화를 조성해야 합니다.

6. *자살 예방 정책의 지속적인 지원 및 연구:* 자살 예방을 위한 정책은 지속적인 지원과 함께 실제 효과에 관한 연구가 병행되어야 합니다. 정책의 효과를 모니터링 하고, 필요시 조정하여 자살 예방 노력을 최적화해야 합니다.

7. *미디어 가이드라인 제정 및 준수:* 미디어는 자살 보도 시 주의를 기울여야 합니다. 자살 방법, 동기 등 세부 사항을 보도하는 것을 피하고, 위기 상담 전화번호와 같은 도움을 받을 수 있는 정보를 제공해야 합니다.

1004생명존중전문강사 양성과정

 (사)1004클럽나눔공동체는 지난 2015년부터 생활이 어려운 여학생들을 대상으로 1004착한생리대 무료 나눔 프로젝트를 시작하면서 소외되고 위험에 노출된 여학생들을 직접 만나고 소통하였고 어려움에 처한 청소년들에게 생명의 소중함과 자살예방을 위한 활동을 시작하게 되었습니다. 현재는 (사)1004클럽양승수총재와 강경아 교육국장이 함께 1004생명존중교육전문강사 양성과 마약 중독 예방 교육을 전 국민에게 확장하여 생명 존중 교육으로 사명을 다하고 있습니다.

생명존중교육지도자로서의 준비 과정 및 개관

자살의 이해

자살문제의 현황

약물남용(마약)과 자살

자살 고위험군 관리

자살과 매스미디어

자살과 정신질환

정신분석학적 관점에서의 자살

사회학적 관점에서의 자살

욕구이론 관점에서의 자살

자살에 대한 오해와 편견

자살예방을 위한 방안

생명존중 아동/청소년 교육

생명존중 중장년/노년기 교육

생명존중 군장병 교육

생명존중 장애인 교육

자살예방 7단계(위기개입교육)

자살 유가족 교육

강의 키워드
생명존중/ 자살예방/ 회복탄력성/ 자존감/ 인성/ 희망/ 사랑/ 배려/
관심/ 봉사/ 나눔/ 감사

추천 대상
전 국민 대상

김민영

shangkem@gmail.com

19년째 세계를 무대로 일하는 국제개발협력 전문가.
시민사회, 정부를 거쳐 현재는 유엔 팀장

유엔개발계획 불발탄팀 팀장 (2022년 ~ 현재)
영국 서섹스 대학교 (IDS) 거버넌스와 개발 석사 (2014)
<꿈꾸는 개발협력? 꿈 밖의 현장!> 공동저자

"돈을 들여
경험을 쌓아야 할 때가 있고,
그 경험이
돈을 벌어다 주는 때가 있다."
<김미경>

가지 하나씩 키우다 보니
나무가 되었다
(봉사단원에서 유엔 직원으로)

해외 취업, 유엔 근무를 꿈꾸지만
어디서 어떻게 시작해야 할지 고민인 당신을 위한 참고서

방황에서 싹튼 씨앗

상상과 다른 현실

"개발도상국은 공기가 좋아야 하는 거 아니야?"

2002년 1월, 방학 때 호기심으로 대학생 해외봉사단을 신청했다. 목적지는 베트남 하노이!

난생처음 떠나는 해외여행에 들뜬 나는 하노이로 향하는 비행기 안에서 산 좋고 물 좋은 우리네 시골 같은 풍경을 상상하고 있었다.

그것도 잠시, 공항에 도착한 순간 매캐한 공기가 얼굴을 감쌌다. 오토바이, 중고차, 공장 매연 등으로 손수건이 없이는 숨쉬기도 어려운 공기로 내 예상은 순식간에 깨져버렸다.

그렇게 처음 방문한 소위 개발도상국에서 만난 뜻밖의 매연 덕분에 나는 국제개발협력이라는 낯선 분야에 관심을 두기 시작했다. '개발단계에서 환경을 보호하면서 나라를 발전시킬 방법은 없을까'라는 작은 의문이 생겼고, 언젠가는 국제개발협력 분야에서 일해 보는 것도 좋겠다고 막연히 생각했다.

대학 3학년, 대학에서 신문방송학과를 복수 전공하며 나는 사회문제를 고발하고 정의를 수호하는 기자를 꿈꾸고 있었다. 기자로 십 년쯤 멋지게 일한 후에 기자 경력으로 유엔에 들어가 보는 것도 좋겠다고 스치듯 생각했다. 그때는 유엔에 들어가는 게 얼마나 어려운지 몰랐다.

2004년, 나는 신문방송학과와 영어영문학과를 복수 전공으로 조기 졸업하고 일 년여를 '언론고시'에 매달렸다. 일 년 가까이 방송사, 신문사, 잡지사에 이력서를 내고 필기시험을 보고 면접을 본 결과 한 잡지사에서 최종 합격 통보를 받았다.

일 년 만의 퇴사

잡지기자로 일 년, 영화잡지와 항공 기내지에 기사를 쓰는 일은 나름의 재미가 있었지만 내가 꿈꾸던 '정의로운 기자'와는 다소 거리가 있었다. 무엇보다도 유명 배우 인터뷰 기사 하나에도 홍보사와 소속사의 이런저런 간섭을 받는 일이 영 내키지 않았다.

기자가 된 지 일 년 만에 나는 앞으로 이 일을 얼마나 더 할 수 있을지 고민했다. 학창 시절 내내 꿈꿔왔던 기자였지만 이런저런 권력에 눌려 꿈꾸던 멋진 기자는 되기 어렵겠다는 결론에 이르렀다. 그렇게 나는 일 년 만에 그토록 바라던 기자의 타이틀을 내려놓고 내 발로 잡지사를 나왔다.

내가 생각해 온 꿈이 현실과 다르다는 걸 알게 되면서 나 역시 나 자신을 잘 모른다는 것도 알게 되었다. 지금까지 내가 정말 원하는 게 뭔지, 뭘 잘하는지, 또 직업을 통해 무엇을 이루고 싶은지 나 자신에게 한 번도 제대로 묻지 않았음을 깨달았다.

2022년 커리어테크 플랫폼 사람인이 기업 1,124개 사를 대상으로 조사한 결과에 따르면, '84.7%가 조기 퇴사한 직원이 있다'라고 답했으며, 조기 퇴사 사유로는 '직무가 적성에 안 맞음(45.9%, 복수 응답)'을 꼽았다. 통계청 또한, 청년층의 65.6%는 졸업 후 가진 첫 일자리를 그만둔다고 발표했다. 나의 학창 시절이나 지금이나 우리는 열심히 공부하고 장래희망을 가질 것을 강요받지만, 정작 나 자신을 이해하고 다양한 직업의 세계를 탐구할 기회는 제공받지 못한다. 어렵게 취업하고는 취업 후 당황한다. 그리고 그때부터 본격적인 방황이 시작된다.

십 년을 품어왔던 '기자의 꿈'을 떠나보내고 나는 한동안 삶의 푯대를 잃은 막막함에 시달렸다. 플랜 B가 없어 고민하던 찰나에 십 년 뒤에나 시도해 봐야겠다던 국제개발협력 분야가 떠올랐다. 때마침 신문에서 우리 정부가 공적개발원조(ODA)를 점차 늘려나가겠다는 계획을 발표한 기사를 접하면서(실제로 2010년 1조 원대 규모였던 ODA는 2024년 6조 8,421억 원의 예산이 의결됐다). 앞으로 이 분야에 많은 인력이 필요하겠다는 생각이 들었다. 그날 밤, 나는 내 다이어리 버킷리스트에 '국제개발 분야 전문가 되기'를 적었다. 그러고는 전문가가 되기 위해 6년이라는 시간을 내게 주기로 했다.

씨앗을 나무로 만드는 방법

한국어 교사로 태국에 가다

스물다섯 살에 갑자기 국제개발협력 전문가가 되겠다 결심했지만, 어디서부터 어떻게 시작해야 할지 다소 막막했다. 일단은 우리나라 대외 무상 협력사업 전담 기관인 한국국제협력단(코이카)의 홈페이지를 살폈다.

국제개발협력 분야로 공부부터 할까도 잠시 생각했지만, 더 많은 시간과 에너지를 투자하기 전에 적성에 맞는 일인지부터 타진해 보고 싶다는 생각이 들었다. 일단 이 일이 어떤 건지 부딪혀 보자는 생각에 코이카 해외봉사단 프로그램에 지원했다.

봉사단에는 다양한 전문 분야가 있었지만, 안타깝게도 영어영문학과 신문방송학이라는 전공으로 갈 수 있는 분야는 딱히 없었다. 고민 끝에 나는 겨우 일 년이지만 기자 경력을 내세워 한국어 분야로 지원했다. 늘 가보고 싶었던 남미에 가서 한국어를 가르쳐야겠다는 부푼 꿈에 지원서를 제출해 두고는 스페인어 학원도 등록해 매일 하루 세 시간씩 스페인어 공부에 매달렸다. 그런데 웬걸, 한국어 학위도, 강사 자격증도 없는 나에게 코이카 봉사단의 문턱은 높고도 높았다. 만만하게 생각하고 시작한 도전이었는데 면접 기회 한 번이 오지 않았다.

좌절감도 컸지만, 도전을 멈추기에는 다른 길이 전혀 떠오르지 않았다. 계속 채용공고를 살피던 중, 태국 치앙마이에서 활동하는 어느 엔지오(NGO) 단체에서 한국어 교사를 찾고 있다는 공고를 봤다. 다시 한번 기자 경력을 강조해 이력서를 냈고 처음으로 면접을 보러 오라는 연락을 받았다. 그렇게 나는 기자를 그만둔 지 3개월 만에 태국 치앙마이에 있는 비정규 교육센터의 한국어 교사로, 국제개발 협력 분야에 첫 발걸음을 뗐다.

월 50만 원을 받고 태국에 간다고?

합격의 기쁨도 잠시, 생각지 못한 부모님의 반대에 부딪혔다. 기껏 미국으로 해외 어학연수도 보내주고 번듯한 대학까지 공부를 다 시켜줬더니 갑자기 무슨 해외 봉사활동이냐며 이해할 수 없다 하셨다.

그도 그럴 것이 당시 나는 월 400달러(50만 원 상당)의 활동비를 받고 치앙마이에 가기로 한 것이다. 나로서는 장기적으로 일할 분야를 찾는 진로 탐색이 시급했기에 이 기회도 감지덕지했는데 부모님의 생각은 달랐다. 평생 대기업을 다닌 아버지로서는 해외 파견 근무는 특별 수당을 줘도 갈까 말까, 할 판에 월 400달러에도 태국에 가겠다는 딸을 도저히 이해할 수 없었다. 부모님을 설득하려고 했지만 실패했고, 서로 이해할 수 없다는 입장만 군어졌다. 결국 나는 눈물로 얼룩진 장문의 편지 두 장을 남기고 치앙마이로 떠났다.

파란만장 태국 생활

씩씩하게 떠나왔지만 낯선 땅, 낯선 분야에서 시작한 엔지오 활동가의 생활은 녹록지 않았다. 더운 날씨에 자전거로 출퇴근하다 열사병에 걸렸고, 이를 안타깝게 여긴 지부장님께서 센터 오토바이를 빌려주셨는데 이틀 만에 바로 오토바이 사고를 냈다. 제대로 출퇴근 한 번을 못 해보고 오토바이 운전 연습을 하던 중에 인근 초등학교 교문을 부수고 들어가 오토바이와 함께 날아 떨어지는 묘기를 펼쳐 보였다. 온몸에 멍이 든 것은 물론 뼈에 금이 가 얼마간 다리에 깁스하고 다녀야 했다. 어느 날은 사무실로 뱀이 들어와 한바탕 난리를 쳤고, 또 어느 날은 동네 산책 중에 지네에게 물려 응급실로 달려가기도 했다.

이 모든 일이 일 년이 채 되지 않은 짧은 기간에 다 일어났지만, 수많은 역경에도 불구하고 나는 태국에서의 생활이 좋았다. 한국어 수업을 통해 만나는 태국 사람들의 호기심과 웃음이 좋았고 세 들어 살던 태국 집주인 할머니, 할아버지가 참 따뜻해서 좋았다. 50만 원 상당의 월급이 전혀 부족하지 않았고 싸고 맛있는 음식이 많아 오히려 몸무게가 늘고 있었다. 보통의 태국 사람들이 월 100달러, 200달러의 월급으로 5~8명의 식구가 생활하는 걸 보면서 내가 너무 많은 월급을 받는 거 같아 왕왕 미안한 마음이 들기도 했다.

나는 태국 사람들과 소통하고 싶어 태국어 공부를 열심히 했는데, 매주 두 번은 꼬박꼬박 태국어 과외를 받았다. 영어를 좋아해 영어영문학과를 선택했지만, 막상 대학에서는 외국에서 살다 온 친구들의 실력에 눌려 늘 주눅 들어 있었다. 그런데 태국어를 배우면서 내가 외국어를 비교적 빨리 습득한다는 것을 새롭게 알게 됐다. 태국에서 산 지 열 달이 지났을 때는 부모 중 한 명이 태국인이냐는 얘기를 들을 정도로 태국어를 제법 유창하게 말하는 수준이 되었다. 비록 말만 배워서 글자는 읽지 못하는 까막눈이었지만!

갑작스러운 귀국

그렇게 태국에서 최소 이 년은 활동하겠다고 다짐하고 열심히 생활했는데, 일하던 엔지오 단체의 사정으로 내가 파견된 지 열 달 만에 태국 지부가 문을 닫기로 했다. 예정보다 빨리 한국으로 돌아간다는 소식에 부모님은 두 팔 벌려 환영했지만, 아직 국제개발 분야에 전념할 결단이 서지 않은 나로서는 여간 곤란한 상황이 아닐 수 없었다.

나는 확신이 들 때까지 1~2년은 더 투자하며 이 일이 나와 맞는 일인지 알고 싶었다. 10년 동안 꿈꿔왔던 일을 1년 만에 내려둬야 했던 나에게 진로를 결정하기 위해 2~3년을 투자하는 것은 이제 대수롭지 않게 여겨졌다.

코이카 엔지오 봉사단원으로 다시 몽골!

갑자기 한국으로 돌아왔지만 나는 계속해서 다시 나갈 국제개발 현장을 찾아 헤맸다. 그렇게 찾던 중 코이카와 국제개발 협력 엔지오 단체에서 협력하여 엔지오 현장으로 파견하는 '코이카 엔지오 봉사단' 모집공고를 보게 됐다. 여러 엔지오 단체에서 다양한 국가와 분야에서 일할 사람을 찾고 있었는데, 나는 어쩐지 이번에는 몽골로 가야겠다는 마음이 들었다.

그 당시 몽골에 살던 이용규 선교사님이 쓰신 베스트셀러 〈내려놓음〉을 읽었는데 마침 선교사님이 내가 다니던 교회에 오셔서 간증하셔서 몽골에 대한 궁금증이 커지고 마음이 갔다. 또, 태국에서처럼 단체가 갑자기 해외지부를 닫아 강제 귀국하는 일이 없도록 신뢰가 가고 일하고 싶은 엔지오 단체를 두 군데 선별했는데, 그

두 단체에서 모두 몽골 파견 봉사단원을 찾고 있는 것이 아닌가! 반복되는 우연은 예사롭게 느껴지지 않는 법이다. 나에게 그것은 '부르심'이었다. '몽골로 가야겠다'라는 생각이 굳어졌고 나는 그 두 단체의 몽골 지부로 지원서를 냈다.

그런데 웬걸, 면접 기회 한 번 잡기 힘들었던 지난해와 달리 이 번에는 딱 두 단체에만 이력서를 냈는데 두 군데서 모두 면접 기회 는 물론 합격통지서를 받았다. 태국에서 고생하면서도 성실히 일한 게 좁은 국제개발 협력 엔지오 바닥에서 나의 작은 평판이 되었고 같이 일하던 분들이 좋게 얘기해주신 덕분에 금방 좋은 기회가 다 시 열렸다 (나에게는 희소식이었으나, 부모님께는 또다시 청천벽력 같은 비보였다).

그런데 갑자기 두 단체에서 합격 소식을 듣고 보니 어느 단체를 통해 파견을 나가야 할지 행복한 고민이 시작되었다. 한 단체는 비 교적 큰 단체로 웬만한 사람들은 이름만 들으면 아는 단체였다. 그 래서 약간의 고민 후, 나는 그 단체를 통해 파견을 나가야겠다고 마음을 먹었다. 그런데 정말 이상하게도 주변의 아는 사람들, 스치 며 알게 된 사람들이 이런저런 경로를 통해서 나에게 큰 단체가 아 닌 작은 단체를 선택하라고 조언했다. 의외의 조언에 갸우뚱했지만, 너무 여러 사람이 각자 다른 이유를 대며 같은 조언을 하니 적잖이 신경이 쓰여 나의 결정을 재고하기 시작했다.

어느 단체를 선택해야 할지 고민하느라 뜬 눈으로 아침을 맞이 하기도 했으니 그 당시의 나에게는 파견 나갈 단체를 결정하는 일 이 일생일대 최대 고민처럼 느껴졌다. 많은 조언 중 내 마음을 가장 크게 흔들었던 얘기는 "큰 단체에 가서 봉사단원으로 일하면 딱 그 역할만큼만 경험할 수 있지만, 작은 단체로 파견을 나가면 '프로젝트 매니저'가 되어 더 많은 일들을 경험하고 배울 수 있다"라는 것이었다.

2~3년 안에 장기적인 진로를 결정하고 싶었던 터라 작은 단체에서 더 많은 기회와 경험을 할 수 있다는 점이 솔깃했다. 결국 나는 작지만, 탄탄한 '지구촌나눔운동'을 통해 몽골 파견을 결정했고 두근거리는 마음을 안고 몽골로 떠났다.

모래바람 속 '4월은 잔인한 달'이 절로 읊조려지는 몽골의 척박한 환경에서 5일에 한 번 샤워하기도 하고 시범농장을 하는 단체에서 농사를 돕고 채소를 팔기도 하면서 내 빛나는 청춘 이 년을 몽골에 바쳤다. 농장에서 일하며 허리를 삐끗해, 한 달을 꼬박 누워있기도 했다. 꽃다운 스물여섯 처자에게는 결코 쉽지 않은 환경이었다.
그럼에도 불구하고 나는 몽골어를 비교적 빨리 배우고 말했으며, 몽골 사람 집에서 하숙하기도 하고, 방이 하나밖에 없는 아파트에서 잠깐이었지만 몽골 청년 네 명과 함께 살기도 했다. 몽골어를 말하면서 몽골 사람들의 삶과 문화를 더 깊이 이해할 수 있는 것이 재미있었고, 몽골 사람들과 친구와 동료로 마음을 나누며 지내는 시간이 소중했고 참 감사했다.

한국에 가야 할까?

태국에서 일 년, 몽골에서 이 년, 총 삼 년을 국제개발 현장에서 보내면서 몇 날 며칠 밤을 새워도 모자랄 많은 경험을 했고 정말 새로운 세상을 만났다. 그 삼 년 동안 나는 두 가지를 깨달았는데, 내게 국제개발 협력 분야에 적합한 두 가지 능력(언어능력과 환경 적응력)이 있다는 사실과 힘든 일도 아픈 일도 참 많았지만 나는 이 일을 계속해 보고 싶다는 내 안의 열망이었다.

그러면서도 낯선 타지에서 친구도 가족도 없이 삼 년, 빛나는 이십 대 후반을 보내고 나니 외로움이 한계치에 달했고, 한국에 가고 싶다는 마음이 컸다. 2년간의 엔지오 봉사단 활동이 끝나가면서 한국으로 가야 할지, 개발 협력 현장에 계속 있어야 할지 고민하는데 때마침 일하던 단체 본부에서 스카우트 제의가 들어왔다.

서울에 있는 본부 직원으로의 채용 제안이었고 한국 본부에 들어와 몽골 프로젝트를 포함한 다른 나라의 개발 프로젝트들을 담당해 줄 수 있냐는 문의였다. 국제개발협력 현장도 좋지만, 한국에 너무나도 가고 싶었던 나에게는 더없이 좋은 제안이 아닐 수 없었다. 그렇게 나는 본부의 스카우트 제안을 받아들였고 서울 본부 해외사업팀에서 4년 2개월을 근무했다.

국제개발 협력 엔지오 단체에서 5년(봉사자로 3년, 본부 직원으로 2년)을 근무하는 사이, 나는 어느새 6개국(몽골, 베트남, 미얀마, 동티모르, 케냐, 르완다)에서 진행되는 개발 협력 프로젝트를 총괄하는 사업팀 팀장이 되었다. 겨우 삼십 대 초반이었고 닮고 싶은 멋진 팀장을 만나본 적이 없어 따라 할 모델도 마땅치 않았다. 국제개발 전공을 하지도 않았고 몽골과 태국 외에는 살아본 나라도 없고, 무엇보다도 국가마다 상황이 달라도 너무 달라 팀장으로서 이런저런 결정을 내리는 것이 참 쉽지 않았다.

내가 하는 작은 결정들이 누군가의 삶에 불러올 큰 파장이 염려되어 내가 내리는 결정의 무게가 당시 나에게 무척 무겁게 느껴졌었다. 물론 나 혼자 내리는 결정은 아니었지만, 당시의 나는 내가 하는 말이 내 직장 동료들에게 미치는 영향과 또 내 보고가 내 상사의 결정에 미치는 영향을 생각하며 내 말의 무게와 내가 가진 작은 권력의 힘을 참 무섭고 무겁게 느꼈던 기억이 난다.

국제개발협력 프로젝트라는 게 대부분 좋은 의도로 기획되지만, 선한 의도가 늘 좋은 결과를 가져오는 것은 아니다. 도움이 꼭 필요한 누군가에게 지원이 가지 않을 수도 있고, 의도치 않았지만, 마을 내 분란을 일으킬 수도 있다는 것을 알게 되면서 나는 단체의 결정이 불러올 나비효과를 염려했다.

돌다리도 두드리는 심정으로 검토하고 고민했지만, 속 시원한 정답은 없었다. 나와 비슷한 일을 하는 사람들이 어떻게 결정을 내리는지 궁금했고, 이 분야를 전문적으로 해보고 싶다는 마음도 커졌다. 무엇보다 하고 싶은 분야가 선명해지면서 공부할 때가 되었다는 마음이 들었다.

나와 세상을 위한 투자, 영국 유학

요즘은 우리나라 유수의 대학에도 국제개발 협력 석사과정들이 많이 있지만, 2010년 당시만 해도 국제개발 협력 분야는 우리나라에 잘 알려지지 않은 분야였다.

아이러니하게도 오래전부터 많은 국가에서 식민지를 하며 개발도상국의 개발에 관여해 온 영국이 국제개발협력 분야에서는 세계에서 선두 주자를 달리고 있었다. 영국에는 국제개발협력을 공부할 수 있는 대학도 다양했고, 관련 전공이 세분화되어 있다.

이 분야에서 공부해야겠다는 결심이 선 후에는 영국의 대학원에 원서를 내며 장학금을 알아보았고, 한국국제협력단(코이카)에서 코이카 출신 봉사단원들에게 제공하는 장학금 제도를 통해 유학 장학금의 일부를 지원받을 수 있었다.

국제개발 분야에서 일하면서 많이 받는 질문 중 하나가, '대학원에 가야 할까요?'다. 그 질문을 받으면 나는 꼭 어떤 전공을 하고 싶은지, 공부하고 싶은 분야가 있는지 물어본다. 박사만큼은 아니지만 대학원(석사)은 대학(학사)보다는 전공 분야를 더 깊이 탐구하고 알게 되고, 전문가로 가는 초석이 된다. 그런데 석사도 학사처럼 광범위한 분야를 선택하면 나중에 전문 분야를 정하기가 더욱 어려워진다. 무엇보다도 '아직 어떤 전공을 할지는 모르겠어요'라고 답하는 사람들에게는 좀 더 일해 보라고 권한다.

업무에 따라 석사가 필요하기도 하지만, 꼭 필요하지 않은 업무도 많다. 무엇보다 아는 만큼 보이기 때문에 개발 협력 현장에서 일한 경험과 실무 경험은 대학원 공부를 더욱 이해하기 쉽고 풍성하게 한다. 또 막상 공부하고 취업했는데 본인의 적성과 맞지 않는 경우도 있어 나는 가능하면 실무를 먼저 경험해 보고, 공부하고 싶은 분야가 선명해지면 대학원에 갈 것을 권한다.

잔가지 하나하나가 모두 나무

나를 부르는 라오스

영국에서 유학하면서 유엔 봉사단 사이트에 이력서를 올려두었다. 석사과정이 절반쯤 지났을 때 갑자기 유니세프(국제연합아동기금) 라오스 사무소에서 이메일이 왔다. 아동 권리 담당관을 찾고 있는데 내 이력서를 보고 관심이 갔다면서 해당 업무에 관심이 있는지 묻는 메일이었다. 유엔에서 메일이 오다니! 설레는 마음을 다잡고 관심이 있다는 답변을 보냈다.

그리고는 당장 라오스에 갈 사람처럼 라오스에 대해서 찾아보기 시작했다. 라오스가 태국 옆에 있는 나라인 것 외에는 별로 아는 것이 없어 라오스에 대한 궁금증이 폭발했다. 막연하게 생각한 유엔이었는데, 유니세프에서 먼저 메일을 보내준 게 황송할 지경이었다. 그렇게 내 마음속에 유엔에서 일하는 것과 라오스에 관한 관심이 꿈틀꿈틀 싹트기 시작했다.

채용 과정이 지난하기로 유명한 유엔인지라, 유니세프에서도 몇 달간 연락이 없었다. 나에게 먼저 관심을 보여놓고는 내 마음을 표현하니 깜깜무소식으로 몇 달간 애를 태웠다. 선수도 이런 선수가 없다. 그러다 몇 달 후, 뜬금없이 '다른 사람을 채용했다. 관심을 가져주어 고맙다'라는 메일을 받았다. 뭔가에 홀린 듯 참으로 이상하고 허무한 해프닝이 아닐 수 없었다.

그런데, 답변을 기다리는 몇 달 사이 내 마음은 온통 라오스로 가득 찼다. 대학원을 졸업하는 시점에 나는 라오스 외에 다른 어떤 나라도 생각할 수 없었다.

코이카 전문가로, 라오스에 가다.

라오스를 마음에 품고 채용공고를 살피던 중, 유엔개발계획 (UNDP) 라오스 사무소에서 코이카 다자협력 전문가(KMCO)를 채용하는 공고를 봤다. 두 번 고민할 것도 없이 이력서를 냈고, 어쩐지 이 자리는 나를 위한 자리처럼 느껴졌다. 그런데 너무 자만한 탓일까. 최종면접에서 나는 두서없는 말을 늘어놓으며 내 인생 최악의 면접을 봤다. 당연한 결과지만, 보기 좋게 면접에서 떨어졌다. '분명 내 자리 같았는데'라고 생각했지만 이미 떠난 버스였다.

그런데 불합격 통지를 받던 날, 코이카 라오스 사무소에서 공적개발원조(ODA) 개발효과성 전문가를 뽑는다는 공고가 떴다. 다시 라오스. 당시 나는 '라오스로 가야 한다'라는 생각이 확고했기에 이역시 두 번 고민하지 않고 바로 지원했다.

코이카의 여러 사무소에서 ODA 전문가를 채용하고 있었기에, 여러 국가로 3지망까지 쓸 수 있었지만 나는 1지망 라오스만 썼다. 불합격의 고배를 마신 직후라 이번에는 면접을 철저히 준비했다. 예상 질문을 뽑고, 혼자 답변을 녹음하고 영어 면접까지 예상 질문과 답변을 준비하고 연습했다. 면접에서 1지망 라오스만 쓴 나를 의아하게 본 면접관이 '왜 1지망 라오스만 썼냐? 왜 꼭 라오스냐?'고 물어봤다. 너무 오랫동안 왜 라오스로 가야 하는지 고민하고 기도했기 때문에 답변이 술술 나왔다. 결과는 합격!

코이카 엔지오 단원으로 몽골에서 활동하고 코이카 장학금으로 영국에서 유학했는데 이제는 코이카 ODA 전문가로 코이카 사무소에서 일을 하다니! 코이카의 경력사다리를 하나씩 타고 나는 어느덧 국제개발 분야의 전문가가 되었다. 내가 '버킷리스트'에 적은 6년 안에 전문가가 되겠다는 다짐과는 달리 전문가가 되는 데 총 9년이 걸렸지만, 9년 전에는 봉사단원으로도 들어갈 수 없었던 코이카에 이제는 전문가로 일하게 된 나 자신이 자랑스러웠다.

엔지오에서는 매일 현지 주민들과 살을 맞대며 프로젝트를 하나하나 기획하고 진행하고 점검하고 평가하는 일이었다면, 코이카에서는 다른 사람들이 제출한 프로젝트 제안서, 진행 보고서, 결과보고서를 보고 검토하고 질문하는 게 주 업무였다.

사무실은 라오스에 있었지만, 라오스 주민들과 직접 만날 기회는 제한적이었고 사무실에서 정부 관계자들과 회의하는 일이 대부분이었다. 물론 분기에 한 번 정도는 프로젝트가 진행되는 현장에 가서 주민 인터뷰를 하거나 현장을 점검하기도 했지만, 한국 정부의 공적개발원조(ODA)를 배분하는 기부자 입장이다 보니 현장 방문은 늘 귀빈 대접에 좋은 것만 보여주는 식이었다. 엔지오에서 일하는 것 같은 역동은 경험하기 어려웠다.

주민들과 부딪히며 대화할 일이 없고 사무실에서는 한국어나 영어를 사용하다 보니 라오스어도 좀처럼 늘지 않았다. 현지어 학습이라면 자신이 있던 나였지만 시장이나 마트 용어, 식당 용어 외에 라오스어는 당최 외워지지 않았다. 현지어가 되지 않으니 현지인 친구를 사귀거나 현지 사람들의 문화와 마음을 이해하는 것도 한계가 있을 수밖에 없었다. 라오스에서 나는 이방인 같았고 풍요롭게 지내는 외국인 노동자처럼 느껴졌다.

엔지오에서 일할 때처럼 현지어를 유창하게 말하며 라오스 사람들에게 다가가지 못하는 아쉬움이 컸지만, 아쉬움도 잠시 또 금방 코이카가 주는 풍요로움과 안정감에 익숙해졌다. 그렇게 라오스에 기약 없이 머무를 것 같았지만, 갑작스럽게 코이카에서 ODA 전문가 제도를 없애기로 하면서 나는 2년 만에 다시 한국으로 돌아왔다.

유엔 직원이 되다.

유명인은 아니지만, 10년 넘게 일하면서 나름 이 분야에서 일을 열심히 잘한다고 알려진 덕분에 한국에 들어왔다는 소식을 듣고 몇 군데서 이력서를 내보라는 제안을 했다.

그중에서 내가 관심이 있고 잘할 수 있겠다고 생각되는 국제개발협력민간협의회(KCOC) 정책센터에 지원했고 일하게 됐다. 시민사회단체와 정부 기관에서 일한 경험을 살며 정부에 시민사회를 위한 정책을 제안하고 둘 사이에 다리를 놓는 그런 역할이었다. 일이 재미있고 보람도 있어 3년 동안 재밌게 일했다.

　　그런데 어느 날, 약속이나 한 듯 여러 지인으로부터 같은 연락이 왔다. 유엔개발계획(UNDP) 라오스 사무소에서 코이카 다자협력 전문가(KMCO)를 뽑는다는 공고가 떴는데 아무래도 내가 적임자 같다며 지원을 해보라는 연락이었다.

　　한 번 고배를 마신 자리기도 했고, 당시 하던 일이 재미도 있고 바쁘기도 해서 처음에는 웃어 넘겼다. 무엇보다도 마흔을 바라보는 나이에 갑자기 유엔이라니, 호기심이 생기면서도 엄두가 나지 않았다. 한국에서도 짝을 만나지 못해 여태 혼자 사는데, 지금 해외에 나가면 평생 혼자 살 거 같아 두렵기까지 했다.

그렇다고 여러 사람이 전하는 같은 메시지를 모른척할 수도 없었다. '다시 라오스로 가야 하나?' 결정이 서지 않아 지원서 제출 마감일까지 지원을 미루다가, 마감일 밤에 여행 중이던 숙소에서 부랴부랴 이력서를 제출했다.

당시 친구들과 제주도 여행 중이었는데, 친구들은 아직도 종종 '그때 그렇게 이력서를 내서 유엔에 갈 줄 누가 알았느냐'며 신기해한다. 나 역시 확신이 없었는데 그 자리가 정말 내 자리였는지 모든 과정이 순조롭게 진행되었다. 업무 중에 회의실에서 화상으로 최종면접에 참여했다. 업무가 바빠 면접 준비를 따로 못 했는데도, 술술 유창하게 답변하는 나 자신을 보고 나 역시 '이번에는 합격이다'라는 느낌이 왔다.

참 신기하게도 한국에서 일하는 3년 동안 내가 일하는 팀에 해외 협력 업무가 급격히 늘었고 당시 나는 거의 한 달에 한 번은 외국인들과 화상회의를 하고 두세 달에 한 번은 해외 출장을 다녔다. 그렇게 3년 동안 업무를 하는 사이에는 몰랐는데, 최종면접을 하면서 보니 영어로 하는 화상회의에 참 익숙해져 있는 나와 마주하게 된 것이다.

심지어 KCOC에서 일하는 3년 내내, 뉴욕 유엔 본부로 출장을 갈 일이 있었는데 2017년에는 문재인 전 대통령의 유엔 총회 연설을 현장에서 직접 듣는 영광을 누리기도 했다. 그리고 그 때 들은 대통령의 연설은 나의 진로를 '통일을 준비하는 불발탄 분야 전문가'로 바꿔놓는 계기가 되었다.

유엔에 들어간 처음 2년간은 유엔에 파견한 한국 정부(코이카) 소속 전문가 신분으로 일을 했다. 그렇게 일하는 사이, 라오스에 학교 짓는 일을 돕기 위해 온 남편을 만나 결혼을 약속하기도 했다.

2년의 계약이 끝날 때쯤, 일하던 라오스 유엔기구에 팀장 자리가 났다. 유엔에서 2년이나 일했음에도 그 면접은 얼마나 많이 준비했는지 모른다. 유엔에 들어오기 전에는 몰랐는데 어느 자리든 최소 백 대 일의 경쟁을 뚫어야 하는 현실을 알고 나니 바짝 긴장됐다. 무엇보다도 이번에는 한국인들끼리만 경쟁하는 것이 아니라, 세계인이 경쟁하는 자리가 아닌가.

그런데 이 중요한 면접이 하필 신혼여행 중으로 잡혔다. 신혼여행 중이지만, 남편을 홀로 호텔 수영장으로 내몰고 나는 면접 준비에 몰두했다. 결혼하자마자 혼자 호텔 수영장에서 시간을 보내준 남편의 외조 덕분에 감사하게도 유엔개발계획(UNDP) 라오스 사무소 불발탄팀 팀장 자리에 합격했다. 물론 2년간 KMCO로 일하며 좋은 평판을 쌓은 덕분에 훨씬 유리했다.

스물한 살이던 2002년 1월 하노이에서 처음 '국제개발' 분야에서 일하는 것을 생각했는데, 딱 이십 년이 지난 2022년 1월, 내 나이 마흔한 살에 나는 유엔 직원이 됐다. 유엔 직원이 목표가 아니라, '더 많은 사람과 함께 잘 살고 싶다'라는 비전을 이루고자 묵묵히 걸은 걸음이 나를 이곳까지 데려왔다.

종종 '유엔에서 일하는 것'을 목표로 열정을 쏟는 사람들을 만난다. 그들의 모습에서 학창 시절 내내 '기자'를 꿈꾸며 달려온 내가 겹쳐진다. 활기차고 열정적인 그들에게 '왜 꼭 유엔이어야 하는지', 또 '그 일을 통해서 끼치고 싶은 영향과 의미'를 물을 때도 있고, 속으로 삭힐 때도 있다. 그들 안에 직업 너머의 확고한 비전이 있기를 바란다. 완벽한 직장, 직업은 없다. 유엔도 마찬가지다. 내 안에 바르게 선 삶의 비전과 사명이 수많은 어려움을 극복하고도 더 나아갈 수 있도록 붙잡아 줄 뿐.

꿈은 이루어진다.

'십 년의 전문가 경력(애초에는 기자)을 가지고 유엔에 들어가야지'라고 대학생 때 정말 스치듯 생각하고 다이어리에 적어두었는데, 내 바람 그대로 나는 정부와 시민사회단체에서 십 년 넘게 일한 경력을 가지고 유엔에 들어왔다. 살면서 '생각한 대로 살고 있다'라는 것을 깨달을 때가 참 많다. 생각과 말, 기록의 힘을 이제는 가벼이 여기지 않는다.

언젠가 김미경씨의 유튜브에서 '돈을 들여 경험을 쌓아야 할 때가 있고, 그 경험이 돈을 벌어다 주는 때가 있다'라는 얘기를 들으며 크게 공감했었다.

주변 친구들이 몇백만 원의 월급을 받으며 한창 일할 때 나는 월 50만 원의 활동비를 받는 봉사단원으로 진로 탐색을 시작했다. 작은 일도 성실하게 감당하는 사이 나는 이직을 할 때마다 월급이 거의 두 배씩 올랐다. 하나씩 작은 경험이 쌓이면서 자연스럽게 다음 기회, 더 큰 기회가 열렸다.

　앞으로 얼마나 더 유엔에서 일을 할지, 또 어떤 기회가 찾아올지 모르지만, 오늘의 성장에 집중하면 기회는 반드시 온다. 깨닫지 못해 또는 잡지 않아 스쳐 갈 뿐. 놓치지 않고 기회를 잡는 순간, 꿈은 이루어진다.

김 선 아

master@benmedia.kr

벤미디어 대표, 퍼스트뉴스/트립매거진 발행
경영학 석사

전자출판기능사, 사무자동화 산업기사, 유통관리사
강의분야 :
책 쓰기, 디자인, OA, 자기계발, 동기부여, 유통 마케팅

"오랫동안
 꿈을 그리는 사람은
 마침내 그 꿈을 닮아간다."
<니체>

창작을 통한
개인 브랜딩과 자아실현의 가치

새로운 이야기의 시작

당신의 생각을 응원합니다

창작물은 개인의 독창성과 창의력을 보여줄 수 있는 강력한 수단이다.

자신만의 스타일과 아이디어를 통해 눈에 띄는 개인 브랜드를 구축할 수 있다.

특히 책은 시간이 지나도 그 가치가 지속될 수 있는 중요한 콘텐츠이다.

오랜 시간 동안 독자에게 영향을 미칠 수 있으며, 저자의 생각과 아이디어가 지속해서 사람들에게 전달된다.

책을 집필하고 출판하는 과정은 큰 도전이 될 수 있으며, 이를 완성했을 때의 성취감은 매우 크다.

자기 계발은 물론 자아실현의 중요한 부분이 된다.

그뿐만 아니라, 창작물을 공개하는 것은 다양한 사람들과의 네트워킹 기회를 제공하기도 한다. 독자와 다른 저자들, 북페어나 세미나의 주최자 등 새로운 연결고리를 만들 수 있으며, 이는 자기 경력이나 사업뿐 아니라 생활 전반에 긍정적인 영향을 미칠 수 있다.

자기 창작물을 세상에 내놓는다는 것은 이러한 이유로 인해 개인의 브랜드를 강화하고, 전문성을 나타내며, 개인적으로도 큰 만족을 줄 수 있는 중요한 방법이다.

새로운 이야기의 시작

출판을 포함한 콘텐츠 회사를 운영하겠다고 했을 때 주위의 반응은
비슷했다.

"그전에 하던 일은? 출판사 같은 걸로 돈이 많이 될 거로 생각해?"

하지만 이곳에서 무엇과도 바꿀 수 없는 가능성을 보았다.

난 20대 초반까지 특별한 목표가 없었다. 아무 생각 없이 살았던 것
같다.

그러다 직원이 200명 정도 되는 보험심사 센터에 계약직으로 입사
했는데, 어느 날 엘리베이터에서 근사한 중년 남성과 마주쳤다.

그는 내게 일이 어떠냐고 물었고, 내가 시큰둥하게 대답했음에도 그
는 정중하게 인사하고 내렸다. 그가 나중에 이 센터의 센터장이라는
사실을 알게 되었는데, 그때의 인상이 매우 강렬했다.

'저 사람이 이 건물에서 가장 높은 위치에 있는 사람인가?'

이런 생각을 하면서 나도 센터장이 되고 싶다는 목표를 갖게 되었다.

하고 싶은 것이 정해졌으니 방법을 찾아야 했다. 하지만 현재의 업무를 아무리 열심히 해도 센터장이 될 수 있을 것 같진 않았다.

다른 직원들이 30개를 심사하는 동안 35개를 매일 심사한다고 해서 과연 센터장이 될 수 있겠는가?

나는 대학원에 지원하고 학원에 등록했다.

회사는 오후 6시에 퇴근이지만 밤 10시가 퇴근 시간이라고 생각하며 일했고 새벽에는 영어와 컴퓨터를 배우고, 주말에는 대학원 공부와 자격증 준비를 했다.

시험 기간에는 업무와 공부의 부담으로 너무 힘들어 울면서 일하기도 했다.

그렇게 8년이 채 되지 않아 나는 다른 센터의 센터장이 되었고, 그 계열에서는 더 이상 올라갈 곳이 없었다.

센터장이 되기까지 팀장과 실장 등 여러 중간 관리자 직책을 거쳤는데, 가는 곳마다 분위기는 비슷했다. 직원들은 대부분 나보다 나이와 경력이 많았고 그들의 눈빛에서는 불신이 느껴졌다. 이러한 상황에서 그들을 이끌 방법은 하나뿐임을 알고 있다.

그들보다 뛰어난 능력을 보여주고, 그들이 나를 따랐을 때의 성공과 그에 따른 보상을 나눠주는 것이다. 최대한 빠른 시간 안에.

그 과정에서 다른 사람들의 생각 대부분은 무시했다. 그 의견들을 듣고 수정하거나 반영할 시간이 없었으며, 애초에 그것들을 신뢰할 수도 없다고 생각했다.

나와 다른 방향은 비효율적이라고 판단했다. 능력이 부족하다고 여겨진 많은 직원을 해고했고, 채용 과정도 엄격하게 능력 위주로만 진행했다.

물론, 인사 고과에 감정이 들어가는 것이 옳다고는 할 수 없다. 그러나 시간이 지나고 나니, 당시의 내 생각과 태도가 얼마나 편협했는지 깨닫게 되었다.

그렇게 목표를 달성한 것 같았지만, 행복하지 않았다. 더 높은 자리에 올라서면 행복해질 수 있을까? 여기서 더 승진하는 것은 본사로 들어가 임원이 되는 것이었다. 그리고 마침 적절한 자리가 있었다. 현재의 처우보다 좋지 않음에도 불구하고, 과감히 그 자리를 선택했고 자신도 있었다.

입사하자마자 몇 년 동안 골머리를 썩이고 있는 프로젝트들을 주어줬고, 난 다시 한번 열정적으로 일에 몰두했다. 1년쯤 지난 어느 날 그날도 회사에서 30시간 근무와 6시간의 릴레이 회의를 성공적으로 마친 후 집에 가는 길에 어금니가 불편하여 치과에 들렀다.

치과에서는 잇몸뼈와 뿌리가 이미 심각하게 녹아있어 이를 뽑아야 한다고 했다.

역삼동의 회사 밀집 지역의 치과였는데 스트레스로 이런 경우를 종종 본다고 했다.

통증도 없었고 겉보기에도 전혀 문제가 없었기에 과잉 진료라고 생각하며 대학병원을 포함한 몇 군데를 더 방문했으나 진단은 같았다. 결국 이를 뽑기로 하고, 너무나 쉽게 뽑혀 나오는 것이 허무하기까지 했다.

'왜 나는 아픔조차 느끼지 못하고 살고 있는 걸까?'

이런 생각을 하며 주변 사람들의 만류에도 불구하고 사직서를 제출했다. 정말로 하고 싶은 일이 무엇인지 자신에게 물어봤다. 일단 확실했던 것은 현재의 환경에서 벗어나고 싶다는 것이었다. 그렇게 여행을 떠나기로 했다.

여행은 러시아의 모스크바부터 시작했다. 과거 블라디보스톡을 방문했을 때 좋은 인상이 남아 있었기 때문이다. 편도 비행편과 처음 며칠간의 숙소만 예약하고, 그 외의 계획은 따로 세우지 않았다. 평소와 달리 철저하게 계획된 일상에서 벗어나고 싶었다.

실제로 파리와 로마에서는 머무르고 싶은 만큼 숙박을 연장했고, 런던에서 알게 된 동생의 권유로 계획에 없던 스페인과 포르투갈도 여행했다.

유럽 여행 후 아시아와 동남아시아를 돌아다녔고, 코로나로 해외여행이 어려워지자, 국내를 여행했다. 1월 1일에는 백두산 천지를, 8월 15일 광복절에는 독도를 방문했다.

여행 사진을 정리하면서 갈 수 없는 금강산을 제외하고, 한국의 높은 산들의 순서대로 백두산, 한라산, 지리산, 설악산, 오대산 등의 정상석 사진이 모두 있는 것과 백령도, 독도, 마라도, 해남 등 땅끝 비가 있는 장소들을 모두 방문한 것을 깨달았다.

의도하지 않았음에도, 한국의 높은 곳과 끝자락을 다 돌아본 것이 흥미롭기도 했다.

당시 난 체력이 좋지 않았다. 험한 길을 가다가 도중에 지쳐서 멈춰야 할 때, 일행들은 인상 한번 쓰지 않고 기다려 줬고 응원도 해줬다. 짐을 들어 주기도 했다.

예전에 나라면 어땠을까? 한 명 때문에 모두가 멈추는 상황은 이해할 수 없고, 나의 시간을 쓸데없는 기다림으로 낭비한다는 생각에 불편한 표정을 여실히 드러냈을 것이다.

하지만 일행들이 기꺼이 자신들의 시간을 써가며 기다려 준 것이다.

장소는 어떠한가? 여의도와 역삼동의 빌딩 숲에서 새롭지 않으면 도태된다고 생각했었는데 수백 년 수천 년의 이야기가 있는 장소들은 새로움에 비할 바가 아니었다.

더 넓은 곳을 경험하며 그들의 생각을 세상에 내놓는 일을 한다면 좋겠다고 생각했다.

각자마다 이야기가 있고 그것들은 틀리거나 맞는 것이 아닌 모두가 의미가 있는 이야기였다.

이젠 모두의 생각과 이야기를 듣고 공감과 의미를 부여할 수 있다.

그 과정을 믿고 따라와 주신 분들께 감사의 말씀을 전한다.

여러분의 이야기가 펼쳐지는 시간은
바로 지금입니다

창작물 상품화 종합지원 서비스 (특허 출원 10-2024-0012012: 창작자 교육 매칭 및 창작물 종합지원 서비스)는 창작자로서 이를 상품화하거나 출판물로 만들고 싶어 하는 개인이나 기업을 위해 교육부터 상품화까지, 그리고 그 후 전반적인 관리까지 통합적인 경로를 원스톱으로 제공한다.

교육이나 단순 상품화에서 그치는 것이 아닌 완성된 상품과 도서는 온, 오프라인 대형서점과 보유 중인 자사 몰에서 판매하고, 스토리(줄거리)는 숏폼 영상으로 제작, 미디어 채널에 배포한다. 창작자가 원할 시 상품화 과정을 공개하여 스토리텔링을 제공하며, 또한 커뮤니티를 만들어 자유로운 소통과 팬덤을 확보할 수 있게 해준다.

창작자와 소비자 모두에게 편리함과 양질의 다양한 콘텐츠를 제공할 수 있는 것이다.

■ *교육 커리큘럼 일부*

과정		제공 혜택	
		교육	공통
글쓰기	소설.에세이	글쓰기, 저작권법	출판, 판매, 홍보, 커뮤니티
	여행작가	글쓰기, 사진, 저작권법	
디자인	그림동화	글쓰기, 그림, 저작권법	상품화, 판매, 홍보, 커뮤니티
	캐릭터 디자인	디자인, 모션, 저작권법	
	굿즈 디자인	디자인, 상품적용, 저작권법	
미디어	숏폼제작	영상제작, 상품적용, 저작권법	업로드/판매, 홍보, 커뮤니티
	영상제작	영상제작, 상품적용, 저작권법	

오리엔테이션 / 문학적 글쓰기
도입부 쓰기 / 눈길을 사로잡는 도입부
묘사와 줄거리
전문 작가의 1:1피드백 / 문학적 시선
표지 디자인 / 제목 정하기 / 작가소개 작성

김옥희

agmine76@naver.com

에이피디테크 대표
우리숲전문지도사협회 회장
우리숲전문지도사 양성과정 대표
한국출판지도사협회 부회장
산림청 산림교육전문가 숲해설사

"숲은, 자연은
　우리의 마음을 치유하고
　평온을 가져다준다."
　<제인 오스틴>

퇴직 후 우리숲지도사 자격증 따는 법

퇴직 후 숲에서 일하며 돈을 벌 수 있는
우리숲지도사 자격증 따는 법을 소개한다.

우리숲지도사 자격증이란?

숲을 좋아하는 중장년 직장인 경력 단절 여성과 남성들은 늘 숲에서 일하고 싶은 로망이 있지만 시간과 돈 정보의 부족 등 여러 가지 이유로 접근하는 법을 몰라 정보를 알기를 원합니다.

저 또한 사업 실패 후 숲에서 일하는 법을 알고 싶어 찾아 헤매던 기억이 새삼 떠오르네요.

또 숲에서 봉사도 하고 용돈도 벌고 혹은 숲이 좋아 사람이 좋아 아이에게 혹은 손자 손녀 지인에게 숲에 나무나 꽃 이름을 알려주려 혹은 자신이 알고 싶어 숲 공부나 숲 관련 일자리를 찾는 사람들에게 우리 숲 지도사 자격증은 숲을 우리의 절기에 맞게 사계절로 나눠 숲 에사는 동·식물 대한 기본지식과 자연에서의 생태교육법 놀이와 학습법을 통해 숲 해설 진행 방법, 프로그램 만드는 법을 섞어 숲 생태 해설과 놀이를 지도하는 지도사의 길과 숲에서 일할 수 있는 법과 자격증 우리숲지도사 취득기관을 소개해 드립니다.

우리숲지도사 전문 강사양성과정

1강 숲의 개념

숲은 식물들이 모여 이루어진 군락으로, 대부분 나무로 이루어져 있으며, 그 외에도 풀, 꽃, 덩굴식물 등 다양한 생물들이 함께 살아가는 공간입니다.

지구상에서 가장 많은 생물체가 존재하는 곳 중 하나로, 다양한 생물들이 상호 작용하며 생태계를 이루고 있습니다. 이러한 생태계는 인간에게도 매우 중요한 역할을 합니다.

숲의 기능
숲의 생성 과정 숲이 우리에게 주는 것들 알아보기
숲은 우리 생활에 매우 중요한 여러 가지 기능을 가지고 있습니다. 대표적인 기능들은 다음과 같습니다.

물의 저장

숲은 많은 양의 빗물을 낙엽 밑과 흙에 저장하며, 흙에 스며든 빗물은 차례차례 정수되면서 깨끗한 지하수가 됩니다. 이로 인해 숲은 가뭄에 의한 물 부족을 막는 역할을 합니다.

이산화탄소 저장과 산소 생산

숲에는 나무와 풀처럼 광합성을 하는 녹색 식물이 많기 때문에 나무와 풀의 형태, 즉 유기물의 원료인 이산화탄소를 저장해 놓고 광합성 과정에서 생물들의 호흡에 꼭 필요한 산소를 제공합니다.

흙의 유실 방지

뿌리가 흙을 잡아주어 흙이 쓸려 내려가지 않도록 도와주며, 울창한 숲은 나뭇잎과 줄기에서 강한 빗줄기를 약화시켜 흙이 쓸려 내려가는 것을 막아줍니다.

자연교육과 휴식 및 운동 공간 제공

숲은 다양한 생물들이 살아가는 모습을 관찰할 수 있는 자연 교육의 장이자, 사람들에게 휴식과 운동 공간을 제공하는 역할을 합니다.

대기 정화

대기 중의 먼지나 오염물질을 흡수하고 제거함으로써 공기를 깨끗하게 유지하는 데 기여합니다.

수원 보호

비가 내리면 물을 저장하고 천천히 방류함으로써 수원을 보호하고 홍수 예방에도 도움을 줍니다.

토양 보전

토양 침식을 방지하고 영양분을 공급함으로써 토양을 건강하게 유지하는 데 기여합니다.

생물다양성 증진

다양한 종류의 동식물이 살아갈 수 있는 환경을 제공함으로써 생물다양성을 증진하게 시키는 데 큰 역할을 합니다.

휴양 및 관광 자원

산책이나 등산 등의 활동을 즐길 수 있는 장소로써 휴양 및 관광 자원으로서의 가치도 높습니다.

기후 조절

열섬 현상을 완화하고 기후 변화를 억제하는 효과가 있습니다.

생태계 안정화: 숲은 생태계 내에서 먹이 사슬과 생태학적 균형을 유지하는 데 중요한 역할을 합니다.

경제적 이익 창출: 목재, 열매, 버섯 등의 수확을 통해 경제적 이익을 창출할 수 있습니다.

재해 예방: 지진, 태풍, 산사태 등의 자연재해로부터 인명과 재산

을 보호하는 역할을 합니다.

문화유산 보존: 역사적, 문화적 가치가 높은 지역에서는 숲을 보존하고 관리함으로써 문화유산을 보존하는 데 기여합니다.

교육 및 체험 기회 제공: 어린이와 청소년들에게 자연학습장으로서 교육 및 체험 기회를 제공합니다.

치유 및 힐링 효과: 스트레스 해소, 면역력 강화, 정신건강 개선 등의 치유 및 힐링 효과가 있습니다.

에너지 절약: 태양열과 풍력 등의 재생에너지 발전소를 설치하면 전기를 생산할 수 있습니다.

탄소 중립 실현: 나무가 자라면서 대기 중의 이산화탄소를 흡수하고 대신 산소를 방출하므로 탄소 중립을 구현하는 데 도움이 됩니다.

미세먼지 감소: 대기 중의 미세먼지 농도를 낮추는 데 기여합니다.

수질 개선: 물속의 오염물질을 제거하고 수질을 개선하는 데 도움을 줍니다.

야생동물 보호: 동물들의 서식지를 제공하고 보호하는 역할을 합니다.

생태계 복원: 파괴되거나 훼손된 생태계를 복원하는 데 있어서 중요한 역할을 합니다.

산림자원 확보: 목재, 연료, 종이 등의 자원을 얻을 수 있습니다.

사회적 안정 도모: 주민들 삶의 질 향상과 사회적 안정을 도모하는 데 기여합니다.

경관 개선: 아름다운 경치를 만들어 내고 도시의 미관을 개선하

는 데 도움을 줍니다.

생태계 보전: 다양한 생물종들을 보호하고 지속할 수 있는 생태계를 유지하는 데 중요한 역할을 합니다.

생물다양성 증진: 다양한 생물종이 공존하면서 상호 작용하고 번식할 수 있는 환경을 제공합니다.

생태계 회복: 산불, 해충, 기상재해 등으로 인한 피해를 복구하고 생태계를 회복하는 데 도움을 줍니다.

자연보호 및 보존: 숲을 비롯한 자연환경을 보호하고 보존하는 노력이 필요합니다.

인간복지 증진: 숲은 인간의 복지와 건강에 직접적인 영향을 미칩니다. 예를 들어, 산책이나 등산 등의 야외활동을 즐기는 데 있어서 좋은 장소가 되며, 스트레스 해소, 면역력 강화, 정신건강 개선 등의 치유 및 힐링 효과가 있습니다. 또한, 숲은 대기 정화, 수원 보호, 토양 보전, 생물다양성 증진, 기후 조절 등의 다양한 기능을 수행함으로써 인류의 생존과 번영에 필수적인 역할을 하고 있습니다.

미래세대를 위한 유산: 숲은 미래세대를 위한 소중한 자산입니다. 따라서, 적극적으로 보호하고 육성해야 하며, 이를 위해서는 정부와 기업, 시민단체 등이 함께 협력하여 체계적인 계획과 정책을 수립하고 실행해야 합니다.

2강 사계절 숲 동식물의 이해

숲에 식생 하는 동식물 살펴보기
봄철 풀과 나무 알아보기
여름철 곤충과 풀과 나무 알아보기
가을철 풀과 나무 알아보기
겨울철 새와 나무 알아보기

3강 사계절 숲 해설 기법

사계절을 대표하는 숲에 식생 하는 것을 대상으로 하는 숲 해설
봄 벚꽃·목련·개나리 외 봄을 대표하는 풀과 나무숲 해설
여름 매미·흙. 거미 외 봄을 대표하는 풀과 나무숲 해설
가을 낙엽·열매 다람쥐 등 가을을 대표하는 풀과 나무숲 해설
겨울 겨울눈·나목 외 겨울을 대표하는 풀과 나무숲 해설

4강 사계절 생태 놀이 기법

사계절을 대표하는 숲에 식생 하는 것을 대상으로 하는 생태 놀이법
봄 로제트식물 관찰하기 절기 알아보기 봄대문을 열어라
목련 겨울눈 놀이 민들레 비눗방울 놀이 풀꽃 액자 만들기 외….

여름

애벌레 놀이 흙 놀이 거미줄 놀이 매미 놀이 외….

가을

낙엽 놀이. 다람쥐 놀이. 열매 놀이. 솔방울 골프. 외….

겨울

겨울눈 놀이. 나무 찾기 놀이. 외….

5강 사계절 숲 프로그램개발

계절의 식물과 숲의 환경을 이용한 숲 프로그램 개발법

6강 인문학으로 만난은 자연과 식물…. 그리고 숲

자연과 식물을 통한 인문학 접근법

7강 숲 해설 기법

서번트리더쉽.샘햄TORE원칙 .숲해설의 6가지 원칙

프로그램의 좋은 주제 조건 4가지

숲 해설프로그램 기획의 예 살펴보기

인문학으로 만나는 숲

사람이 지켜낸 숲 인문학 이야기….
느티나무 소나무 솔송나무 은행나무
나무의 삶을 통한 인문학 이야기
메타쉐콰이어. 자작나무. 주목
풀의 삶을 통한 인문학 이야기
질경이·민들레.구절초 등
숲의 문화를 통한 인문학 이야기
문화 속 나무 이야기

명언으로 만나는 자연과 숲 인문학 이야기
시로 만나는 자연과 숲 인문학 이야기
그림으로 만나는 자연과 숲 인문학 이야기

위 내용은 우리 숲 지도사 자격증 안에 있는 커리큘럼으로, 위
자격증은 우리 숲 지도사협회를 통해 취득하실 수 있습니다.

박미정
mjpark3901@gmail.com

선하리연구소 대표
소셜혁신연구소 본부장

한양여자대학교 산학협력단 팀장
한국기술교육대학교 강사
한국외국어대학교 국제지역대학원 석사

"행복의 문이 하나 닫히면
다른 문이 열린다.
그러나 우리는 종종
닫힌 문을 멍하니 바라보다가
우리를 향해 열린 문을
보지 못하게 된다."
<헬렌 켈러>

당당한 여자, 행복한 여자, 품위 있는 여자

자랑스러운 엄마, 행복한 여자
당당한 나로 40대 홀로서기를 시작한 싱글맘 이야기

집필하면서 인생 처음으로 창작의 고통을 겪었다. 한 달, 길다면 길고, 짧다면 짧은 기간이었지만, 무에서 유를 창출해 낸다는 것은 매우 어려운 일이었다. 나는 이 책을 통해 담담하게 나의 경험을 진정성 있게 풀어내고자 노력했으며 나의 경험담이 이혼을 고민하는 40대, 아직은 나이 들지 않은, 그렇다고 완전히 젊지 않은, 이혼에 대해 한 번쯤 고민해 본 여성들에게 작게나마 도움이 되었으면 좋겠다고 생각했다.

혼자 발을 동동 구르며 이곳저곳 정보를 찾아 발품을 팔고, 무던히도 마음 아픈 감정을 다스리고 정신적 평화를 위해 노력했던 지난날들… 그리고 그 고생 끝에 깨달았던 인생의 진리들… 당당하고 행복하고 품위 있는 여성이 되기 위한 노하우를 작게나마 이 글을 통해 알리고 싶었다.

이 책이 나오기까지 많은 도움과 격려를 해주었던 우리 현지, 사랑하는 나의 부모님, 사춘기에 들어선 우리 아들 지호, 그리고 늘 내 옆에서 나를 응원해 주고 지켜주는 나의 반려자이자 예비 남편인 민욱 오빠한테 진심으로 감사의 인사를 전한다.

당당한 여자

조선시대 여자, 로지 이혼을 결심하다

결혼을 한 사람이라면 긴 세월 동안 한 번 정도는 이혼에 대해 고민해 보지 않았던 사람이 있을까? 평생을 다른 환경에서 살아온 두 남녀가 만나서 인생을 같이한다면, 당연히 부딪히게 되는 일들이 많을 수밖에 없다. 나 역시 이혼을 생각한 시기는 꽤 오래되었는데 이혼에 실패하지 않기 위해 천천히 단계적으로 준비를 해나갔다. 홧김에 결정한 사안이 아니라 현재 나의 상황을 객관화하려고 했고, 나의 판단에 오류가 없었는지를 수만 번 검토했다.

결혼도 신중해야 하지만 이혼 역시 신중해야 하며, 이혼이란, 부부의 모든 인연을 정리하는 것이므로 유책자가 누구이든지 간에 남편, 아내 모두 심리적, 정신적으로 겪게 될 타격도 크다. 그러므로 나는 이혼을 결심하고 나서 약 5년에 걸쳐 천천히 한 단계씩 이별을 준비할 수 있는 시간과 과정을 거쳤다.

*1단계 - 심리적 확인 절차 갖기, 나의 판단에 오류가 없었는지
　　재점검하기*

모든 사람은 감정적 동물이다. 사람이 살아가는 데 있어 그 어떤 사람도 감정에 지배되지 않는 사람은 없다. 이혼 역시 순간적인 감정에 흔들릴 수 있다. 그러므로 현재 상황을 누구보다도 제3자의 입장에서 객관화할 필요가 있다. 즉, 나의 이혼에 대한 결심과 판단에 오류가 있는지 재검토할 필요가 있는 것이다.

심리적 확인 절차 검증을 위한 나의 체크리스트는 다음과 같았다.

1. 나는 진정 이혼을 원하는가?
*2. 이혼으로 인해 내가 겪고 있는 고통이 줄어드는가? 현재의
　　괴로움은 온연히 나로 인해 발생하는 것이 아닌가?*
*3. 과거 내가 사랑했던 남자. 나의 과거 안목이 오판이었는가?
　　아니면 내가 성장함에 따라 사람 보는 눈이 달라진 것인가?*
4. 현 상황은 내가 변화하고 노력한다면 바꿀 수 있는 것인가?
5. 내가 진정 원하는 삶은 어떤 삶인가?
6. 상대방은 나의 노력으로 바꿀 수 있는 것인가?

스스로 이 질문에 대한 모든 답변을 명확히 할 수 있었을 때, 나는 비로소 이혼을 결심했다.

그렇다. 나는 진정 이혼을 원하고 있었다. 그리고 옛 어르신 말씀대로 사람은 바꿔쓰는 것이 아니었다. 그렇게 나는 이혼을 결심했다.

2단계 - 남편의 존재가 없을 때 나의 상황 구체화하기

남편이 없다면 나의 상황은 어떻게 될까? 내 삶은 무엇이 달라질까? 아쉬운 것은 무엇일까? 과연 이혼이 득일까 실일까? 나는 남편이 없는 나의 삶을 구체화, 객관화하기 위해서 '페르소나'라는 마케팅 기법을 사용했다.

페르소나 마케팅이란 심리학 용어인 '페르소나(Persona)'와 '마케팅(Marketing)'을 합친 용어[1]로 기업의 소비자, 즉, 타깃을 핀셋 포인트처럼 아주 세밀하게 구체화하는 기법이다. 30대 자기 계발과 환경에 관심이 있는 여성 직장인이라는 가상의 인물을 설정해 그 사람의 일상을 아침부터 잠들기 전까지 관찰하듯 시나리오를 짜보는 것을 페르소나의 한 예로 들 수 있는데 기업의 마케팅 전략 수립에 많은 도움을 주는 기법으로 알려져 있다.

나는 남편이 없는 일상을 나의 생애 주기에 맞춰서 페르소나를 설정해 보았다. 아침의 일상, 직장 생활, 아침의 일상, 직장 생활, 사업과 강의, 아이의 교육, 양가 부모님과의 관계, 지인 관계 등 전반적인 내 삶의 일상을 장기간에 거쳐 머릿속에 영화를 보듯 그려보았다. 나만의 시나리오가 완성되고 그 시나리오가 꽤 담담하게 내가 판단하기에 나쁘지 않아 보았을 때, 나는 이혼을 위한 본격적인 준비를 시작했다.

---

1) 네이버 시사상식 사전

나는 장롱면허였다. 직장 생활을 하면서 강사와 각종 기관의 심사위원 역할을 동시에 해내다 보니 장거리로 출장을 갈 일이 많았다. 남편과 사이가 좋지 않았지만, 경제적인 부분을 내가 많이 담당하고 있어, 외부에 강의나 심사하러 갈 때는 줄곧 남편이 데려다주곤 했다. 독립하고 나서 가장 걱정되는 부분이 바로 그런 기동력이었다. 심리적으로나 경제적으로나 큰 타격은 없었는데 그놈의 운전이 문제가 될 줄이야… 심지어 나는 차도 없었다. 이러한 상황을 직시한 나는 바로 도로주행 학원에 등록하여 운전을 마스터했고 그 후 한 달 뒤, K3라는 나의 첫 차를 구매했다.

많은 사람이 이혼에 대해 고민한다. 2022년 대한민국 통계청의 혼인 및 이혼 데이터에 따르면, 이혼율은 남성과 여성 모두 40대 초반에 가장 높게 나타난다. 40대 후반에도 이혼율이 높은 편이다. 이러한 사실을 고려하면 40대는 이혼에 직면한 세대임을 알 수 있다.

경험자로서 분명한 건, 이혼을 위해서는 반드시 몇 가지 점검할 것이 있다는 것이다. 홧김에, 정말 상대방이 꼴 보기 싫어서가 아니라, 제2의 내 삶의 인생을 설계하기 위해서는 더욱더 객관적으로 자신이 이혼에 적합한 사람인지 확인해 볼 필요가 있다.

이혼을 위한 체크리스트

어떤 사람이 이혼했을 때 실패하지 않는 것일까? 나는 이혼을 결심하기까지 지인들, 변호사, 친구들과 상담을 진행했다.

그들을 만나 본 결과 공통으로 다음과 같은 조언을 해주었다.

첫째, 본인 스스로 온연히 홀로서기를 할 준비가 되어있는가?

여기서 '홀로서기'란 가족이라는 공동체 안에서 요구되는 모든 의무를 본인 스스로 감당할 수 있는가를 의미한다. 생각보다 이혼하고 난 후, 남편의 부재가 있을 수 있다. 병원, 학업, 육아, 부모님 챙기기, 경조사, 아이의 심리적 케어, 하다못해 학원 라이딩이나 주말에 다양한 체험을 위한 아이와의 외출까지! 나의 경우 체험학습을 위한 먼 곳으로 이동, 심리적으로 얼마나 부담스러웠던지…!

이혼 이후 싱글맘은 모든 가족 공동체로서 해야 할 의무들이 온연히 자신에게로 돌아온다는 것을 잊어서는 안 된다. 말 그대로 가장이다. 모든 결정은 본인 스스로 해야 하고 그에 따른 책임 또한 고스란히 본인이 져야만 한다. 가뜩이나 경제생활을 영위하기 위하여 현장에서 고군분투하는 싱글맘의 경우, 집안을 건사(?)하기 위한 다양하고도 소소한 업무들을 동시에 해내기가 아무래도 버거운 것이 사실이다. 이혼 전에는 내가 이러한 홀로서기를 온연히 할 수 있는지 반드시 체크해야 한다.

두 번째 아이의 의사가 존중되었는가? 아이가 너무 어리지는 않는가?

아이가 있는 경우 이혼은 신중해야 한다. 초등학교 때까지는 아빠와의 감정적 유대감과 신체활동 등이 아이의 자존감에 큰 영향을 끼치며 실제로 여러 연구에 따르면, 아빠와 아이가 더 많은 시간을 함께 보낼수록 아이의 정서와 지능 발달이 빠르게 진행되는 것으로 나타났다.[2]

특히 유치원, 초등학교는 학부모 참관 수업, 가족 체험 프로그램 등이 많고 친한 친구들끼리 집으로 초대해서 상호 교류하는 경우가 많은데, 아빠의 부재 시, 우리 집은 왜 다른 집과 다르지? 라며 아이가 이상하게 생각하거나 마음의 상처를 입을 수도 있다.

초등학생 때까지는 아직 아이가 스스로 생각하고 결정하기 어린 나이다. 아이의 동의 없이 부모의 선택으로 엄마와 아빠가 떨어져 살아야 한다는 사실은 아이에게 가혹한 상황일 수 있다.

나의 경우, 아이가 초등학생이었을 때 이혼을 결심했고, 아이가 조금은 크고, 스스로 판단해서 모든 입장을 수용하고 결정할 수 있을 시기인 중학생 때까지 기다렸다가 이혼을 실행으로 옮겼다. 아들 역시 가족의 행복을 위해서 엄마 아빠가 갈라서는 편이 낫다고 본인 의사로 명확히 이야기했다.

---

2) 2023년 5월 메디포뉴스 가톨릭대학교 의정부성모병원 소아청소년과 김영훈 교수 인터뷰 내용 참고

세 번째 남편의 도움 없이 홀로 생계(정신적인 부분 포함)를 책임질 수 있는가?

이혼하게 되면 남편이 양육비를 줄 것 같은가? 생각보다 많은 사람이 남편의 사업 실패와 같은 다양한 요인으로 돈 한 푼 받지 못하고, 오히려 돈을 주고서라도 이혼하는 사례가 많다. 법적으로 우리나라에서 보장하는 양육비는 권고사항에 해당하는 가이드라인이다. 가이드라인은 쉽게 말하면 꼭 지켜야 하는 사안이 아니다.

즉, 강제성이 없다는 말과 같다. 그리고 남편과 아내가 자녀 양육에 관해 상호 협의하여 합의서를 작성했다고 하더라도, 상대방이 양육비를 주지 않을 수 있다. 가이드라인은 가이드라인이고 합의서는 합의서일 뿐이다. 최악의 경우, 아이가 어엿한 성인이 될 때까지 엄마 스스로 경제적인 모든 부분을 떠안을 각오를 해야만 한다.

네 번째, 불시의 상황에 대비하여 나를 도와줄 수 있는 진정한 조력자가 있는가?

나는 지극히도 너무나도 다행스럽게 부모님이라는 든든한 존재가 옆에서 홀로서기를 응원해 주셨던 게 큰 도움이 되었다. 내가 이혼을 결심했을 때, 부모님께서는 딱 한 마디 하셨다. "로지야, 힘들지? 네가 그렇게까지 하고 싶으면, 엄마 아빠가 옆에서 딱 버티고 있으니까, 다 도와줄 테니까 걱정하지 말고 너 하나만의 행복을 위해 살아. 네 행복이 우선이야."

고민하던 나에게 부모님은 내게 큰 결정을 할 수 있는 용기를 주셨고 그 덕분에 이혼 이후 내 삶은 점점 더 행복해지고 있다.

이혼을 위한 과정

이혼! 내가 제일 먼저 이혼을 결심하고 알아본 것은 절차였다. 나는 아이가 있는 사람의 경우, 이혼이 마냥 단순하지 않다는 것만 어렴풋이 알고 있었는데 이는 실제로 그렇다. 이혼에는 합의이혼, 조정이혼, 법정 이혼 이렇게 3가지가 있는데 쉽게 말하면, 양자 간 합의이혼을 이루기 위한 과정의 종류가 조정이혼, 법정 이혼이다. 모든 이혼은 최종적으로 합의이혼으로 가는 과정이다. 합의가 이루어진 내용을 바탕으로 법원에 이혼하겠습니다! 라는 서류를 제출하고 가정법원에서 땅·땅·땅 인정을 받은 후 관할 동사무소에 가서 신고하면 끝이다. 서류도 몇 가지 필요한 것들이 있는데 작성법에 대한 가이드라인이 많지 않아 (가뜩이나 회사 생활하랴, 아이 챙기랴, 본인의 정신적 케어도 책임지느라 이래저래 힘들었던지라) 너무 피곤한 마음에 서류를 대신 작성해 줄 수 있는 전문 변호사를 찾아보기도 하였는데 아주 간단한 두 페이지 정도 서류 작성을 도와주는 서비스도 최소 50만 원 이상이더라. 즉, 모든 과정에는 다 돈이 들더라.

결국, 이혼은 조정이혼이든 법정 이혼이든 궁극적으로 합의이혼을 이끌어가는 과정으로 당사자가 몇 가지 기본 서류 작성법만 알면 간단하게 행정적 절차를 마무리할 수 있다.

재산분할, 합의금과 이혼 합의서를 작성하는 방법, 절차 등은 법률사무소의 무료 상담 서비스를 이용하면 되고, 애매하거나 방문 상담이 필요할 경우, 숨고 등의 플랫폼을 활용할 수 있다. 대략적인 상담 비용은 기관마다 다르지만, 무료에서 5만 원 내외로 생각보다 큰 비용이 들지 않는다.

합의이혼을 위한 서류 작성 역시 인터넷의 무료 샘플 자료 등을 활용하여서 작성하면 된다. 말 그대로 합의서는 양자 간의 합의이기 때문에 꼭 법률 대행사나 변호사가 작성할 필요가 없다. 적절한 형식만 갖춰진다면 전혀 문제가 될 것이 없다.

결론은 그래서 '이혼을 준비하는 데 돈이 많이 들겠지.'라며 걱정하지 말라는 것이다. 이혼을 위한 준비 과정은 본인 스스로 해도 충분하고 돈을 쓸 필요가 전혀 없다. 여성분들이여 두려워 말자.

행복한 여자

홀로 있는 게 즐거웠을 때,
내가 행복하기 시작했을 때, 사랑이 시작된다

괜찮은 남자, 어디서 만날까? 무엇보다 보는 눈이 필요하다

넓고 넓은 이 세상에 내 짝 하나는 있겠지…. 그런데 실제로 찾아보면 없다. 누가? 괜찮은 사람이! 내가 아는 모든 30대 중반부터 40대 여성분들은 한결같이 이렇게 이야기한다. "괜찮은 사람은 다 팔리고 없어."

진짜 그럴까? 여러 번의 시행착오 끝에 느꼈던 점은 괜찮은 사람은 있는데 그런 사람들은 쓸데없는 활동에 에너지를 쓰지 않는다는 것이다. 그러므로 괜찮은 사람을 밖에서 발견하기가 매우 어렵다. 오죽하면 연예인 안선영이 좋은 남자 만나는 곳으로 "강남역 삼성생명 뒤 소박한 꼬치구이 술집 같은 곳을 가라"면서 "수요일, 목요일 정도에 가면 멀쩡한 양질의 남자들이 ID 카드를 걸고 있다. 금요일 저녁 헬스클럽에 가면 술 안 먹고 운동하는 사람들이 있다."라고 조언을 해준 장면이 방송에서 주목받았었을까?

개인적으로 안선영 팬은 아니지만, 그녀의 안목과 센스에 존경을 표한다. 사실이다! 좋은 남자는 소박한 곳에서 자기 계발을 하는 곳에 숨겨져 있다. 이러한 안목을 갖추고 있는 그녀는 최근 연매출 몇백억 단위의 여성 CEO가 되었다.

그렇다면 결정사가 답일까? 어디에서 만나든, 안목이 제일 중요하다.

2022년 4월 14일 통계청에 따르면 최근 3년간의 혼인율 추이는 '19년 23만 9,000건, '20년 21만 4,000건, '21년 19만 3,000건으로 점점 하락하고 있다. 이같이 결혼을 등한시하는 세태에서도 결혼정보회사(이하 결정사라고 하겠다)의 가입률은 오히려 증가하는 추세다.

결정사의 경우 만남에 있어 서로의 신분을 보증해 주고, 결이 맞는 사람을 매칭해준다. 실제로 듀오의 경우 2022년 기준 전년 대비 회원 수가 22% 증가하면서 최대 매출을 기록했고 가연도 코로나19 창궐 이후 가입자 수가 50% 이상 증가했다.[3]

그렇다면 결정사 회원 가입비용은 얼마이고 만족도는 어떠할까?

일반적으로 결정사 가입비용은 기업마다 다르고 회원사의 자격과 등급, 여성이나 남성이냐에 따라 다르다. 가입비도 최소 300만 원에서, 많게는 1억까지 다양하다.[4]

---

3) 2022년 3월 뉴시스 보도자료
4) 2024년 4월 주요 결혼정보 회사 고객센터를 통해 수집한 정보(가연, 듀오 등)

결정사에 가입해 서비스를 이용해 본 지인들을 인터뷰해 본 결과 답변은 비슷비슷했다.

만나는 사람들의 신원이 정확해서 좋기는 한데, 상대방을 알기도 전에 서로를 평가하고 만나기 때문에 너무 상업적이라더라.

남자든 여자든 서로 상향 혼을 하기 위해 노력하는 자리라고 해야 할까? 라는 말들이었다. 또한, 제3자의 시선으로 본인의 등급이 정해져서 만난다는 것 자체가 자존감에 상처를 내는 것 같다고 했다. 그 비용을 내고 누군가를 만날만한 가치가 있는지 고민을 다시 해볼 필요가 있는 것 같다고.

그렇다면 데이팅 앱은?

남자, 여자 도대체 어디에서 만나요? 종종 온라인 커뮤니티에 등장하는 주제다. 도대체 남자친구 여자친구 어디서 만나냐고. 그리고 나면 답글이 줄줄이 달린다. 결정사도 괜찮고요, 동호회 가입도 괜찮아요. 제 친구는 소개팅도 많이 하고요 교회 등 종교기관에서도 다양하게 만납니다. 데이팅 앱에서도 사람 만날 기회는 많아요.

자 그럼, 여기서 또 답글이 줄줄이 달린다. 데이팅 앱은 최악의 경우 가는 장소고요, 그곳에서는 괜찮은 사람 만나기 어려워요. 사기 치는 사람, 진지하지 않은 사람이 많아요.

정말 그럴까? 2024년 데이터 분석 플랫폼5)이 발간한 모바일 현황 보고서에 따르면, 남자친구와 여자친구를 어디서 만났냐는 질문에 데이팅 앱에서 만났다는 비중이 30% 이상으로 나타났다. 생각보다 많은 데이트 상대가 온라인을 통해 매칭된다. 실제로 시장조사 업체 스태틴 스타에 따르면, 2023년 기준 전 세계 데이팅 앱 시장 규모는 79억 달러였던 것으로 추산되며 2024년 올해는 81억 달러, 2027년이면 87억 달러 규모로 커질 것으로 보고 있다.

그런 앱에서 만나는 사람은 거르라는데 어떻게 해야 하나요?

만나는 장소가 크게 중요한 것은 아니다. 사람을 볼 줄 아는 눈이 가장 중요하다. 데이팅 앱에서 만나 결혼까지 골인한 사람도 내 주변에 수도 없이 많다.! 시작하기도 전에 선입견을 갖지 말자. 다른 사람의 말에 좌지우지되지 말고 나의 안목을 믿어보자.

돌싱이라고 두려워할 것 없다. 나 자신에 당당해지자

예전에 소개팅을 통해 변호사를 만난 적이 있다. 네이버에 검색하기만 해도 매우 유명한 기관의 대표 변호사였고 법원에서도 근무했었던 12살 많은 분이셨다. 외모도 매력적이고 관리가 잘 돼 있는, 지적인 매력남이었다. 그분과 데이트를 몇 번 했었는데 본인이 돌싱인 것에 대한 자격지심이 많으셨다. 대화 도중 종종 "내가 이혼한 돌싱인데 내 처지에 누굴 가릴 수 있는가?"라는 말씀이었다. 그때 생각났던 드라마

---
5) 데이터분석플랫폼 https://www.data.ai/kr/

의 문구가 있었다. 아이유와 이선균이 출연한 '나의 아저씨'이다. 이건 정말 내가 명작이라고 손꼽는 작품 중 하나인데 그 드라마 속에서 내게 가장 가슴속 깊이 남았던 대사는 바로 이것이다.

"네가 대수롭지 않게 받아들이면 남들도 대수롭지 않게 생각해. 네가 심각하게 받아들이면 남들도 심각하게 받아들이고, 모든 일이 그래, 항상 네가 먼저야. 옛날 일 아무것도 아니야. 네가 아무것도 아니라고 생각하면 아무것도 아니야."

그렇다! 내가 괜찮다고 생각하면, 남들도 괜찮게 생각하고 내가 부족하다고 느끼면 남들도 그렇게 느끼는 법이다. 내가 당당하면 생각보다 아무것도 아닐 수 있다. 처음에는 나도 누군가가 내게 호감을 보였을 때, 돌싱이라고 밝히기가 두렵고 어려웠다. 싱글을 만나면 나도 모르게 위축되고 불편하고 내가 그 사람 아래인 것 같고 그런 마음이 들었다. 그러나 점차 그러한 생각을 깨려고 노력하고 누군가를 만났을 때, 처음부터 내가 돌싱인 것을 당당히 밝혔는데 세상에! 상대방이 생각보다 크게 개의치 않아 했다. 그때 알았다. 아 결국은 내 마음, 내 당당함과 솔직함이 무엇보다 중요한 거구나! 내가 스스로 솔직하고 당당하게 나를 마주했을 때, 나를 온전히 이해하고 사랑해 줄 수 있는 사람을 만나게 되는구나.

그렇다면 지금의 나는? 나를 온연히 이해해 주고 사랑해 주는 반려자를 만나 행복한 결혼을 준비 중이다.

품위 있는 여자

경제적 자유를 위한 N잡러, 이제는 필수다.
N잡러가 가능한 사이트들 카페

직장인 10명 중 3명이 경제적인 이유로 부업을 한다고 한다.[6]

통계청이 발표한 '2023년 연간 소비자물가 동향'에 따르면 2023년 소비자물가는 3.6% 올랐으며, 생활물가지수 상승률은 3.9%에 달하는 것으로 나타났다.

안정적인 회사에 다닌다고 해도, 이제는 생존을 위해 부업을 해야만 하는 시대가 왔다. 일반 직장인도 이러한 상황인데 싱글맘의 경우는 어떠할까?

나는 현재 한 회사의 본부장이고, 강사이자, 각 기관의 심사위원이고 사업가이다. 또한, 커뮤니티 플랫폼이나 SNS를 활용하여 소소한 부업도 하고 있다. 나도 처음부터 이렇게 다양한 직업과 부업을 하지 않았다. 뭘 알아야 부업을 할 수 있다고? 자본이 있어야 사업을 할 수 있

---

6) 2024년 2월 17일 뉴스투데이 보도자료

다고? 사람들은 그렇게 생각한다. 그러나 수입의 파이프라인을 키울 수 있는 부업의 기회는 시장에 존재한다. 부업은 정보력의 싸움인 것이다.

이 장에서는 내가 실제 부업 활동을 했고 누구나 손쉽게 경험이 없어도 소소한 수익을 걸을 수 있는 정보를 알려주고자 한다.

크게 부업은 제품을 무료로 사용해 보고 후기를 남겨주는 체험단 기반 플랫폼과 커뮤니티 카페가 있다. 체험단 플랫폼은 국내 50여 개인데, 대부분의 플랫폼은 인플언서 위주로 체험단을 선발하기 때문에 신규 일반인이 신청하게 되면 선정되기 어렵다. 하지만, 아래 열거된 사이트의 경우, 인스타그램을 기반으로 활동할 수 있는 플랫폼이다. 아직 인스타그램은 블로그 대비 경쟁률이 높지 않아 체험단으로 신청 시 선정될 가능성이 상대적으로 높다. 실제로 아래 두 가지 플랫폼은 내가 종종 체험단을 신청하는 사이트로 신청 방법도 간단하고 규정도 까다롭지 않아 부업을 희망하는 새내기에게 적합하다.

체험단 플랫폼
- 체험뷰 https://chvu.co.kr/
- 투잡커넥트 https://www.tojobcn.com/

다음은 상품 후기 작성 커뮤니티 카페다. 이 카페는 SNS를 가지고 있지 않아도 누구나 참여할 수 있고 개인 SNS가 필요하지 않다. 즉, 블로거 이웃이나 팔로우가 없다고 하더라도 체험단 선발에 있어 전혀 지장이 없다는 의미다. 상품을 무료로 체험하고 리뷰를 카페에 올리기만 하면 되기 때문에 소소하게 생활비를 절약할 수 있다. 카페 활동을 열심히 하고 리뷰를 성실히 남긴다면 우수 후기로 선정될 수도 있고 탑 리뷰어가 될 경우, 월 5만 원 상당의 현금처럼 사용할 수 있는 적립금이 제공된다. 이 커뮤니티 역시 내가 많이 참여하고 있는 부업 활동으로 나의 경우 월 5회 이상의 제품을 무료로 지원받고 있다.

상품 후기 작성 커뮤니티 카페
- 씨씨앙 https://cafe.naver.com/cantsb/

지속 가능한 라이프스타일을 위한 습관

지속 가능한 라이프스타일이란 무엇일까? 40대가 넘어가니 돈으로도 시술로도 안 되는 게 바로 젊음이더라. 날이 갈수록, 시간이 갈수록 미모와 건강을 유지하기 위해서는 돈과 시간이 많이 들더라. 그렇다면 지속 가능한 헬시 뷰티 라이프를 위해서는 무엇이 중요할까?

무조건 습관이다.! 규칙적인 삶, 수면, 운동, 적절한 보조제 섭취, 가공식품 대신 자연 음식으로만 대체해도 노화의 속도는 엄청나게 줄어들 수 있다.

양질의 보조제 섭취도 중요한데 콜라겐, 비타민 영양제 하나만 해도 좀 괜찮은 성분인 것들은 다 2만 원 안팎이다. SNS를 보다 보면 이것도 먹어야 할 것 같고 저것도 먹어야 할 것 같고 계속 무언가를 섭취해야 할 것 같다. 이것저것 필요해 보이는 것들을 다 복용한다면 한

〈내 식단을 책임져 주는 제품들…. 왼쪽부터
발효초, 올리브오일, 생초, 그린블랜드〉

달에 20만 원도 넘는 비용이 들어간다. 한때 하루에 영양제 18가지를 복용해 봤던 내가 지금은 딱 3개만 먹고 있는데 한 달 기준 4만 원 내외의 비용이 든다. 일명 영양제 다이어트를 시작했는데, 나는 영양제를 줄이고서 오히려 건강이 더 좋아졌다. 다양한 영양제와 제품들이 있지만, 그중에서도 나는 가성비 좋으면서 효과가 눈에 띄게 좋았던 영양제, 식품을 딱 세 가지만 소개해 보려고 한다.

1. 천연식초

최근 MZ 세대 다이어트 주요 식품으로 주목받고 있는 애사비(애플사이다비네거)다. 나는 애사비를 이미 10년 전부터 복용해 왔는데 이유는 간단했다. 샘표식품 창업자의 자서전을 어느 날 우연히 읽게 되었는데 회장님의 건강 비결이 바로 샘표 식초인 것이었다. 식초는 천연식품으로 식사 후, 자기 전에 마시게 되면 확실히 몸이 가볍고 디톡스가 되는 느낌이다. 물에 섞어서 세안 후 마무리를 해줘도 좋고, 샴푸 후 트리트먼트로 대신 활용하기도 좋은, 무엇보다 가성비가 최고다. 식초를 고를 때에는 무엇보다 초모를 활용한 것인지를 봐야 하는데 그 비율에 따라 고급 제품과 저렴한 제품이 구분된다. 가급적 빙초산으로 제조된 식초는 피하도록 한다.

2. 올리브오일

내가 건강검진을 했을 때다. 키 163에 몸무게 51킬로, 체지방 13% 평소 식습관은 비건으로 술 담배, 야식도 하지 않는다. 그런데 건강검진 결과가 나왔는데 이게 무슨! 콜레스테롤이 약간 높다고 나왔다. 콜레스테롤은 유전적인 영향도 있다고는 하는데 고기랑 지방을 별로 좋아하지 않는 내게 이게 무슨 황당한 소리인가 했다. 그러던 중 우연히 한 기사를 통해 좋은 지방을 먹으면 콜레스테롤 수치가 줄어든다는 사실을 알게 되었다. 실천 방법은, 아침 공복에 좋은 엑스트라 버진 오일을 한두 숟가락 복용하면 아토피, 콜레스테롤, 혈당 등을 잡을 수 있다는 것이었다. 이 기사를 접한 후 올리브오일을 복용한 지 정확하게 11개월! 콜레스테롤이 완전 정상이 되었다. 또한, 부가적인 효과로 피부도 매끄러워지고 컨디션이 나빠도 아토피가 전혀 올라오지 않는다.

3. 그린 파우더 제품

야채를 골고루 꾸준히 먹는 방법은 없을까? 녹즙은 차고 공복에 먹으면 배가 아프고, 생식은 비싸고 우유에 타 먹으면 칼로리도 꽤 높고…. 어떻게 하면 몸에 좋은 야채와 슈퍼푸드를 손쉽게 섭취할 수 있을까? 10년 전 나는 비거니즘이 알려지기 한참 전에 100% 비건으로 살았다. 그때 생채소 섭취를 엄청나게 했었는데(한 끼 생채소 섭취량이 300g 이상이었다.) 확실히 채소를 많이 먹으면(몸을 너무 차게 하지 않는다는 전제하에) 정신이 맑아지고 변비가 없어지고 소화가 잘되고 피부가 맑아진다.

그런데 몸에 좋은 음식들은 정말 비싸다! 풀무원 녹즙을 배달하면 최소 월 5만 원 이상이 든다. 마트에서 야채를 구매해 건강을 챙겨보려고 해도 소량으로 자주 사기는 귀찮고 야채 손질 또한 번거로운 일이다. 무엇보다도 채소, 과일 물가가 너무나도 올라서 구매가 부담스럽다.

그럴 때 내가 건강관리를 위해 지속해서 구매하는 제품이 있다. Amazing Grass의 그린블랜드라는 파우더인데 자기관리의 신인 모델 한혜진도 복용하고 있다. 이 제품은 케일, 밀싹, 모링가, 스피룰리나 등이 함유되었고 열량도 한 스쿱당 30kcal이다. 채소를 좋아하는 나의 경우, 물에만 섞어 먹어도 고소하고 달콤하다. 지인들은 한 입 먹어보더니 먹을 수 없다고 평가하기도 하는데 평소 비건에 가까운 입맛이라면 분명히 맛있게 먹을 수 있을 것이다. 나는 이 제품을 아이허브로 구매하여 5년간 꾸준히 복용하고 있는데 가성비 좋고 건강에 도움이 되어 늘 나의 장바구니에 담겨있다.

내가 가진 에너지는 한정적이다. 선택과 집중을 해라

태생적으로 오지랖인 나는 어릴 때부터 삶에 열정적이었다. 불의를 보면 참지 못했고, 누군가가 도움을 요청하면 손해를 보더라도 먼저 나서서 도와주었다. 사회생활을 하면서 알게 된 50대 여성 박사님이 있는데 박사님이 나중에 친해지고 나서 해주신 말씀이 있다. "박 팀장, 에너지 아껴서 살아. 지금이야 젊으니까, 남들이 도와달라는 대로 다 도와줘도 되는데 내가 가진 에너지는 갈수록 줄어들 거야. 그러니까 이제부터는 선택과 판단을 해야 해. 가치 있는 사람과 가치 있는 일에 에너지를 집중하는 게 맞아. 내가 박 팀장 진심으로 아끼니까 이런 말을 하는 거야". 그렇다! 그 당시에는 박사님이 왜 그런 소리를 하실까 생각했었는데, 40대가 되고 시간이 흐르면 흐를수록 그때 박사님의 말씀이 인생의 진리였다는 생각이 든다. 그리고 그 말씀은 현재 나의 삶의 기조가 되고 있다.

오늘도 나는 마치 자동차를 잘 관리하듯 주기적으로 내 컨디션을 점검하고 좋은 영양소를 섭취하고, 조심하면서 살살 고속도로를 달린다. 그리고 평소에 절약한 에너지로 파워가 필요할 때 액셀을 밟으며 이 삶을 살아가고 있다.

헬렌 켈러가 말했다. 행복의 문이 하나 닫히면 다른 문이 열린다고. 그러나 우리는 종종 닫힌 문을 멍하니 바라보다가 우리를 향해 열린 문을 보지 못하게 된다고. 삶은 누구에게나 공평하고 그 삶을 어떻게 바라보느냐, 어떻게 도전하느냐, 준비하고 관리하느냐에 따라 많은 것들이 달라진다. 행복은 특별한 것이 아니다. 40대 이혼을 생각하는 혹은 고민하는 여성들이여! 자신감을 갖자. 당당한 여자, 행복한 여자, 품위 있는 여자가 되기 위해 오늘도 한 발자국 나아가보자.

박 선 정

psj0691@naver.com

킹덤비즈코리아 대표

경력 :
대한엔젤투자클럽 본부장
와이앤비파트너스(주) 경영지원실장
SBA 서울산업진흥원 창업닥터
한국능률협회 경제교육 전문위원

"비즈니스는
 인류의 역사에서
 하나님의 사람이 움직이는
 일차적인 원동력입니다."
 〈달라스 월라드〉

I'm BAMer

자신의 한계를 넘어, 변혁이 필요한 영역으로
비즈니스를 통해 제자로 일하는 BAMer

BAMer로서의 부르심

2008년 12월 새벽 기도 시간, 아프리카와 빈민국의 가난한 아이들을 위해 기도하던 중, 나는 하나님께 거칠게 항의했다.

"제가 가난한 아이들 1,000명을 살리면, 그것이 가난한 사람의 1/10, 아니 1/100, 1/1000은 구하기는 하는 겁니까? 아니 어쩌자고 가난한 이들을 내버려 두십니까?"

통곡하며 가슴을 치며 한참을 그렇게 울었다.

그때의 나는 신우염으로 입원을 여러 차례 하다가 최근에 들어간 회사도 고만두고, 병원비와 월세로 허덕이며 빚에 빚을 더하고 있었다. 직장도 구하지 못하고 선천적인 많은 병으로 아파서 매일 절절매던 중이었다.

사실 나는 가난한 이들을 보면 뼈에 사무치게 서럽고, 가슴이 아려서 목 놓아 울기를 여러 번 했다. 가까운 이웃도 가족도 아닌 먼 나라의 얼굴도 본 적 없는 가난한 이들이 불쌍해서다.

나의 질문은 온통 그 가난한 사람들을 구할 방법이었다.

가난의 저주를 끊는 방법 즉, 가난의 대물림을 끊는 방법이란 주제로 수렴하고 있었다.

그러던 중, 2009년 1월 인터파크에서 〈가난을 핑계로 꿈을 버리지 마라〉 정은혜 저, 더난출판서 도서의 정보를 받게 되었다.

저자는 연세대학교 대학원에서 심리학을 전공하면서 〈가난의 대물림을 어떻게 예방할 것인가〉의 하부주제인 '빈곤층의 아동 지능' 부문 연구를 맡아 석사 학위를 받았다.

책을 읽고 저자의 논문에 관심을 두고 자료를 찾아보니, 부모의 경제력 → 자녀의 교육 수준 → 자녀의 소득 수준으로 자연스레 연결되는 것이 현재의 사회 구조라는 걸 알게 되었다. 결국 가난의 고리를 끊는 방법은 교육이었다.

이 책을 통해서 주님은 나를 궁극적으로 성경적 경제교육을 배우게 인도하셨다. 성경적 경제교육을 배우면서 주님께 이것이 가난을 끊는 방법인지 여쭸을 때, 주님은 진짜 가난을 끊는 유일한 방법은 오직 '십자가'라고 하셨다.

갈라디아서 3:13 나무에 달린 자마다 저주(신명기 28:15~46) 받은 자며 그 저주를 그리스도께서 끊으셨다고 말씀하셨다. 십자가에서 저주가 끊긴 것을 깨닫고, 우리가 아브라함의 복과 성령을 받게 된다는 것을 가르쳐야 한다고 하셨다.

IT에서 10년 넘게 일을 하다가 가난의 저주를 끊고 가족을 구원하고 영혼을 살리기 위해 하나님의 부르심에 따라 제이플러스파이넨셜

(주)의 컨설턴트로 일하게 되었다

제이플러스파이낸셜(주)는 기독교 회사로, 두란노 출판사의 [세상의 돈자루를 쥐어라] 공동 저자이자, 성경적 재정원리 강의를 진행하는 자산관리전문회사(GA)였다.

갓피플과 성경출판사 성서원, 그리고 기독교 웨딩업체, 이랜드 계열사 등 여러 곳과 성경적 재정원리 교육을 제휴했다.

성경적 재정원리를 공부하면서 몇 가지 의문점이 생겼다.

성경적 재정원리는 과연 세상의 재테크보다 뛰어난지, 학문적으로도 우수한지, 얼마나 많은 사람들이 이런 강의를 원하는지, 그들에게 어떤 도움을 줄 수 있고, 실제 어떤 변화를 주었는지, 전도의 방법이 될 수 있는지 등등. 성경과 재무와의 상관관계에 대해 여러 가지로 궁금했다. 이를 입증할 통계 자료가 필요했는데, 검색하던 중에 한국로고스경영학회를 발견했다.

등록된 논문들을 검토하다가 한국로고스경영학회 회장을 역임하신 영남대 박정윤 교수님의 논문에 설문조사 결과가 뒤에 붙어있는 걸 발견했다. 3개월 동안 검색해서 발견했던 그 통계는 내 가슴을 뛰게 했고, 2009년 12월 31일은 잊지 못할 날이 되었다. 제야의 종소리를 기대하며 모두가 Happy new year를 기다리는 마지막 날이었지만, 나는 사무실에서 흥분을 감추지 못한 채 횡설수설하면서 박정윤 교수님께 메일을 작성해서 보냈다.

놀랍게도 그날 오후 6시 33분에 교수님으로부터 답장이 왔다. 이후로도 이메일을 주고받으며 말씀과 기도, 비전 등을 나눴다. 교수님의 비전 중의 하나였던 〈행복한 부자학회〉가 2012년 1월 30일에 설립되었고, 나는 학회 이사가 되었다.

영남대 박정윤 교수님이 대구 지역의 대학생들을 위해 개설된 온라인 성경적 재정원리 강좌를 수강할 수 있게 해주셨다. 덕분에 제이플러스파이넨셜(주)의 전 직원이 온라인으로 수강했다.

박정윤 교수님은 나의 로고스경영학회 논문에 관한 관심을 보시고, 논문을 투고를 투고해 보는 것은 어떨까요? 라고, 제안해 주셨다. 하지만 나는 내 주제에 논문을 쓸 자격이 없다고 생각해서 거절했다.

그날도 새벽 예배를 마치고 기도를 드리던 중, 주님께서 내게 "너 논문 써라"라고 말씀하셨다.

"...네? 제가요? 왜요?"

"네가 쓰면 머리 좋은 애들은 참고해서 볼 거야. 넌 시간도 많잖아?"

"아니, 저 3번이나 거절했어요. 어떻게 다시 한다고 해요?"

"정 해야 한다면, 제가 말하기 쪽팔리니깐요. 교수님이 다시 부탁하면 못 이기는 척하면서 논문 쓸게요."

4번이나 기도를 했지만, 난 청개구리처럼 핑계를 대고 도망갈 방법을 모색했다.

내 생각이 아니고, 주님이 말씀하신 것이 맞았다면 영남대 박 교수님이 전화로 연락을 줄 거라고 단정했다. 하루, 이틀, 삼 일이 지나도 연락이 없자, 내가 기도한 내용은 나만의 착각이라고 생각했다. 나중에 알게 된 사실인데, 내가 논문 기도를 했던 그날, 박 교수님은 내게 메일로 다시 한번 논문 투고를 요청했다.

이외에도 많은 우여곡절을 겪으면서도 주님의 역사함으로 나는 『나눔의 성경적 원리, 그 효과의 실제(實際)』(2011.8)이라는 논물을 완성했다. 이 논문은 한국로고스경영학회 로고스경영연구 학회지에 등록되어 도서관에서도 검색할 수 있고, 현재까지 10회 피인용 되었다.

나는 이 논문의 내용을 바탕으로 기독교 방송 CTS TV 4인4색 프로그램에서 "돈 걱정없는 노후"라는 제목으로 4회 연속 강연을 했다.

BAMer로서 삶

　나는 갓피플닷컴 교육에 성경적 재정원리를 등록하여 강의를 진행했다.
갓피플닷컴에서 BEST 추천 강의로 노출되고 무료 배너까지 게재되
는 성과를 거뒀다. 또한, 우리 팀은 여의도 순복음교회를 비롯하여 여
러 교회에서 강의했다. 하지만, 얼마 지나지 않아 팀은 해체되고, 나는
여성능력개발의 창업센터에 홀로 남게 되었다. 당시 강사로 섬겼던
팀원 2명은 나중에 목회자가 되었다. 나는 주님께 혼자서 무엇을 할
수 있겠냐며 투정을 부리곤 했다.

　2010년에 서울시 여성인력개발기관 교육생의 창업사례 분석 사례발표
집 "꿈을 향한 작은 날개짓"에 창업 사례로 인터뷰 기사가 게재되었다.

2010년 11월 1일 한국경제신문과 한국능률협회가 진행하는 경제 이해력 검정 시험 TESAT 2기 강사로 선임되었다.

한국외대, 충남대, 계명대학교에서 경제 전공자 또는 비전공자를 대상으로 미시경제를 아침 9시부터 오후 6시까지 점심시간을 제외하고 8시간을 그래프를 그려가며, 설명하고 기출문제를 풀었다. 강의를 진행하면서 나는 딜레마에 직면했다. 소비이론은 한계효용체감의 법칙과도 충돌하는 반면, 믿는 크리스천으로서 소비할수록 행복해진다는 이론을 가르치는데 맘이 어려웠다.

주님께 "가라지가 너무 많은데, 이런 내용을 가르쳐야 합니까?"하고 기도했다.

주님의 대답은 언제나 간결했다. "네가 가르치니 '시험에 나오지만, 이 내용은 진리가 아니다.'라고 말해주겠지만, 다른 사람들은 마치 진리인 양 가르치지 않겠니?" 그러면서 덧붙여 말씀하셨다. "네가 성경적 재정원리 가르친다고 하면 다들 무슨 권위나 자격으로 네가 성경적 재정원리를 가르치냐고 물을 거다. 그때 너는 '한국능률협회 경제위원으로서, 한국경제 경제 이해력 검정 시험 TESAT 시험의 미시경제 강사로서 강의한다'라고 말하면 된다"라고 하셨다.

2012 서울특별시 청년창업 1000프로젝트 제4기 선정 심사 때 심사위원으로부터 "무슨 자격으로 경제강의를 합니까?"라는 질문을 받았다. 주님이 예견하신 질문을 들으니 소름이 끼쳤다. 나는 주님이 알려주신 대로 답변했다.

2012년 서울특별시 청년창업 1000프로젝트 제4기에 선정되어 사무실 배정을 받기까지 북부여성창업보육센터 사무실을 사용했다. 청년창업 사무실인 장지역의 가든파이브 사무실로 이전한다는 소식을 접하자, 2개의 한자 개발 의뢰가 왔다. 대학 전산과 동기도 개발자로 합류했다.

어느 날 교회에 예배를 드리러 가는 길에 버스가 신호등 대기로 멈춰있었다. 버스에는 "男"이라고 적혀 있었다. 남자 타켓 음료수 광고였던 것 같다. 그때 주님이 말씀하셨다.

"선정아 저 글자 뭐니?"

"창세기 3장에 아담에게 '너는 이제 힘을 다해 밭을 갈라'고 하신 말씀입니다."

"그래, 맞다."

이 대화를 계기로 나는 한자와 성경이라는 주제로 공부를 시작했다. 한자는 성경이라고 해도 과언이 아니라는 사실에 놀랍고, 연구에 흥미를 느꼈다.

중국에서는 한자를 사용하지 않는다는 것을 알게 되었다. 한국에서 쓰는 한자는 번체자라고 불리며 대만에서는 사용하지만, 중국에서는 간체자를 사용하고 있었다. 한자와 성경 관련 책들을 모두 구매하여 읽고, 관련 연구자나 세미나가 있다면 직접 찾아가서 만났다.

미국 유학을 앞둔 교회 남매인 황하나와 원백이와 함께 저녁 식사를 하던 중, "성경과 한자에 미친 사람을 구해야 한다"라고 말했다. 그러자, 남매는 이구동성으로 한 친구가 있다며 장희섭이라고 소개했다. 알고 봤더니 나는 이미 장희섭을 만난 적이 있었다. 한양대 노천극장에서 유기성 담임목사님의 집회에 나는 황하나랑 갔고 동생 원백이가 한 남자와 함께 와서 네 명이서 손을 잡고 함께 통성으로 기도했던 사람이 바로 장희섭이었다. 나는 장희섭을 면접 보고 싶다고 했다.

열정

도전

KINGDOM BUSINESS

박람회

비전

BAM

기독여성CEO 열전 ⑥ 박선정 킹덤비즈니스 대표

"하나님께서 이끌어 주신 교육콘텐츠 사업 활짝 꽃피는 기적의 날 올 것"

박선정 대표가 11일 중국어 교육 콘텐츠 사업에 본격적으로 뛰어든 과정을 설명하고 있다. 이영훈 인턴 기자

구로디지털단지의 킹덤비즈니스는 ……했다.

○○일보

하나님의 이끄심

○○신문 2014년 11월 25일 화요일

'플러스게임 중국어'는 어떤 콘텐츠 인가

십자가 모양 활용 퍼즐 풀기
중국 간체자 쉽게 배울 수 있어

Partners Day 기업설명회

신SW 추천작 11

리아컴즈 '네오큐빗 시큐리티 v1.0'

빅데이터 분석으로 네트워크 철통보안

주요 특징 ▶OS:리눅스 ▶전역 네트워크 차원의 보안 관제 기술을 제공하는 빅데이터 분석 플랫폼 ▶문의:02)2026-3600

"별도 판매 가능한 모듈 형태 솔루션 개발"

윤희선 대표

킹덤비지니스 '플러스게임 중국'

퍼즐 풀다보면 간체자 공부가 저절로

주요 특징 ▶OS:안드로이드 ▶게임을 통해 효과적으로 공부할 수 있는 중국 간체자 학습프로그램 ▶문의:070)4067-2790

"B2B 전략 수립…영어 서비스도 계획"

전 자 신 문

원백의 소개로 장희섭을 북부여성센터에서 면접을 진행했다. 장희섭은 개척교회에서 거의 전도사처럼 일을 했고, 성균관대학교에서 중국어와 한자를 전공했다. 스타트업이라서 갈등하는 모습이 보였다. 나는 그를 가든파이브 청년창업센터로 초대했다.

청년창업센터에서 창업 교육을 받으며 지원 과제들을 알아보던 중, 특허 출원 비용 지원 과제를 발견했다. 장희섭에게 특허 아이디어가 있냐고 물었다. 희섭이는 내게 그림을 그리며 열심히 설명했다. 그 순간 주님이 내게 프로그램 로직과 데이터베이스와 디자인까지 모두 설명해 주셨고, 바로 그 내용을 특허로 출원하기로 했다.

변리사를 만나고 나오는 길에 우리는 찬송가 "십자가, 십자가 내가 처음 볼 때 나의 맘에 큰 고통 사라져 오늘 믿고서 내 눈 밝았네! 참 내 기쁨 영원하도다"를 함께 불렀다.

〈플러스게임 중국어〉는 번체자가 간체자로 또는 간체자가 번체자로 변환되는 5가지 원리를 십자가 모형으로 변환하는 프로그램이다. 플러스게임이라는 이름에서 알 수 있듯이, 이 프로그램은 십자가 모형을 기반으로 한다. 이는 학습에 게임 기능을 추가한 기능성 게임이라는 의미이자, 중의적으로 십자가를 통과하면 죄인이 의인이 되듯이, 번체자가 간체자로 변환되거나 간체자가 번체자로 변환되는 원리를 의미한다. 번체자 안에 들어 있는 성경의 원리를 중국인들에게 알려주고, 주님을 만날 기회를 만들고 싶었다. 당시 전 세계가 중국어 학습 열풍에 휩싸여 있었기 때문에, 이를 기회로 삼아 번체자에 포함된 성경의 원리를 알게 되고 하나님을 만날 수 있기를 바랐다.

2014 킨텍스에서 GMV(Global Mobile Vision) "파트너스 데이" 때 33개국에서 온 많은 바이어 앞에서 동시통역으로 이 제품 기획 의도를 발표했다.

킹덤비지니스의 비전(십자가 복음) 발표 사례를 나중에 Young BAMer Network 그룹에서 BAM 사례로 발표했다.

『플러스게임 중국어』 학습 원리와 프로그램은 특허(제10-1384139호) 등록되었다. 나중에 중기부의 선도벤처연계 창업과제로 9천만 원 과제에 선정되었다.

중소벤처기업부 이영 전 장관이 한국여성벤처협회 부회장이었을 때 운영한 테르텐(주)과 매칭되었다. 구로디지털 역 이마트 앞의 대륭포스트타워 테르텐 사무실에 이영 전 장관과 11개월간 출퇴근을 함께하며 개발 완료했다.

2013 제5회 포스코 벤처파트너스 선정(아이디어 마켓플레이스 출전)되었고, 실전창업리그 본선에도 진출했다.

개발 완료 후에는 피겨스케이팅 여왕 김연아 선수가 커버 자켓 모델인 SK Telecom WiseBee Smart에 〈플러스게임 중국어〉 Chinese Zone 버전 탑재되고 SK Telecom에 납품했다.

미래부 지원을 받아서 중국에 앱 시장에서도 런칭을 했다.

중국인 선교 목적으로 제13차 중국 국제 소비 전자 박람회(SINOCES) 칭다오 최대 IT-가전 박람회에도 참가했다.

세상 속으로 킹덤비지니스

내 나이가 올해 8월이 되면 지천명이다. 놀랍고 신기하다.

지천명, 하나님의 뜻을 알 수 있는 나이가 된다는 것이 흥분된다. 내가 아직 죽지 않고 살아서 여호와의 하신 일을 선포하게 됐다(시편 118:17)는 것을 생각하니 감사하는 마음이 벅차다.

2010년에 김도현의 "내가 죽지 않고 살아서"라는 노래를 처음 들으면서 하염없이 울었다.

노래 가사였던 "내가 죽지 않고 살아서 여호와께서 하시는 일을 선포하리라 (시편 118:18)"라는 말씀이 나에겐 큰 위로와 격려가 되었다.

어느 토요일 성가대 연습 때였다. 그날 우리는 성가대 연습에 지쳐 있어서 억지로 하고 있었다. 그때 지휘자가 "성가대를 통해서 인생이 바뀐 사람?"이라고 질문했다.

나는 망설임 없이 손을 번쩍 들었다.

"한 소절 부를 때마다 어지러워서 엎드려 있었는데, 이제는 칸타타 부를 때 조금 어지러워"

내겐 숨 쉬는 것이 세상에서 제일 어려운 일이었다. 천식과 심장 기형으로 찬송가 한 소절도 어지러워서 부를 수 없었다. 한 마디 부르고 엎드려져 있어야만 했다. 그러나 주일마다 성가대에서 찬양을 부를 때면 예수님이 눈앞에 계신 것 같아 기뻤고 황홀했다. 성가대 활동은 봉사가 아니라 함께하는 기쁨이고 즐거움을 넘어 치유의 시간이었다.

영화 〈Me Before You 2016. (당신을 만나기 전의 나)〉의 남자 주인공 전신마비 환자 윌이 간병인 루이자에게 하는 대사는 내 생각이자 마음이었다.

"하지만, 난 여기서 끝내야만 해요

더는 통증과 피로감도 싫고

그리고 매일 아침 빨리 죽었으면 좋겠다고 바라는 것도 싫어요.

나는 지금보다 절대 더 나아지지 못해요.

의사들도 알고, 나도 알아요."

38살까지 매일 끔찍하고 죽고 싶은 나날들을 보냈다.

깨어있는 순간마다, 심지어 잠자는 순간조차 통증에서 벗어날 수 없었다. 수혈을 받아야 했고, 심장 기형, 천식, 만성신우신염, 녹내장, 자궁내막증과 근종 등 20가지 이상의 병을 가지고 있었다. 매일 열 나고 아파서 많은 밤을 뜬눈으로 지새웠다.

119 응급차, 응급실, 입원을 너무 많이 경험했다.

2015년과 2019년에는 미주신경실신으로 졸도하고 깨어나 보니 피범벅이었다. 의사는 "죽지 않고 살았네요."라고, 말했다. 지금까지 코뼈가 4번 부러지고, 이마 찢어지고, 앞니가 부러지고 턱이 찢어지고 얼굴에는 수많은 날의 참담했던 순간들이 훈장처럼 흉터들로 남아있다. 교통사고로 중앙선을 넘어온 차 충돌로 2m 이상 날아가 행단보도 밖으로 튕겨 나가기도 했다. 공중에서 두 바퀴 돌고 땅에 떨어져서 목 아래로 신경마비가 된 적도 있었다.

20번도 넘는 죽음의 문턱을 오갔다.

태어나서 계속 토하는 나를 의사는 얼마 살지 못한다고 했다. 엄마는 덜 고통 받게 죽으라고 엎어 놓았다고 한다. 중학교 2학년 때 고등학교도 못 가고 죽는다고 다시 시한부 선고를 받았지만, 생명이 길어서인지, 주의 은혜인지 지천명이 된 지금까지 살아 있다.

20가지가 넘는 병을 갖고 살다 보니 적응하면서 좋은 점도 있다.

아프다고 누워있으면 진짜 아파서 아무것도 할 수 없게 된다. 그리고 누가 아프냐고 물을 때 그렇다고 하거나, 좀 아픈 기색을 내비쳐서 이 사람 저 사람이 아프냐고 묻기 시작하면 십중팔구 심해져서 병원 가야 한다.

항생제 내성과 진통제 내성으로 마약성 진통제까지 써야 하는 상황에서 쓸 수 있는 진통제는 웃음이다. 아주 심하게 아픈 날은 가장 멋지게 꾸미고 화장도 진하게 하고 계속 웃었다.

지하철에서 통증이 심하게 몰려와서 소리 없이 입꼬리 올리고 싱글벙글하고 웃었다. 반대편에 앉은 아주머니는 '뭐 좋은 일이 있나? 뭐가 재미있지?'라는 궁금한 표정으로 하차할 때까지 나를 쳐다봤다. 교회에서 10년간 활동을 함께했던 사람들도 병실에 병문안 와서 웃는 낯을 보며 어디가 아프냐고 물었다.

통증에서 벗어나고자 매일 웃다 보니 웃는 것이 자연스러워졌다. 얼굴 표정도 좋아졌다.

다른 하나는 오른손이 힘을 쓰지 못하고 아파서 왼손으로 양치질, 밥 먹기, 마우스까지 쓰게 되어 결국 양손잡이가 되었다.

삶의 미련이 없어 내 꿈이 아닌, 주의 꿈을 좇으며 살게 되었다.

예전에 기독교 청년 일간지에서 인터뷰했을 때 기자와 나는 같은 말을 했다. 나를 "억수로 운 좋은 행운아"라고 했다.

사람의 힘과 능력으로 숨 쉬고 보고 듣고 말하고 움직이는 것이 아니라, 주의 은혜로 이 모든 것이 가능하다는 것을 어릴 적부터 자연스럽게 깨닫게 된 나를 부러워했다.

맞다. 다른 사람은 나이가 들어서 또는 불의의 사건, 사고를 겪으면서 사람의 연약함과 한계를 경험하게 되지만, 나는 태어날 때부터 미숙아로 태어나 신체적 기형으로 매일 숨 쉬며 직접 체험했다.

나는 시한부 선고를 받았기에 내 꿈이 아닌 주의 비전을 따라 살았다. 16번의 이직, 3번의 창업, 17개의 직업을 경험했다.

이것저것 다 하는 나를 보고 사람들은 '도대체 정체가 뭐냐?'고 물었다. 그때마다 내 대답은 변함없다.

"주인이 화장실 청소하라면 화장실 청소하고, 신발 닦으라면 신발 닦고 발 씻기라면 발 씻는 자죠"

내 명함을 받는 사람들의 반응은 다양하다.
- 술집 명함인 줄 알고 버렸다.
- 다짜고짜 반말로 "너 여호와증인이야? 이단이냐?"하고 화를 냈다.
- "와~ 진짜 명함에 대놓고 '킹덤비지니스'라고 넣었네"

〈딥 워터 호라이즌〉 영화에서 일하던 사람들이 기사처럼 무릎을 꿇고 주기도문을 외우며 기도하는 모습을 볼 때, 가슴이 뜨거워졌다.

정주영 창업경진대회 데모데이 키노트 강연에서 토스 이승건 대표는 창업가들이 으레 겪게 되는 어려움에 대해서도 털어놨다.
"팀원들의 월급을 줄 수 없는 시기가 올 거예요. 이 여정에서 누군가는 당신(창업가)을 고소할 거예요. 여러분을 고소하는 사람이 공동창업자일 수도 있고 투자자일 수도 있어요. 또 자주 틀릴 것이고, 이 문제들을 팀원들이 다 보게 될 거예요. 쪽팔린 단계를 넘어서면 내가 하는 게 맞나, (대표직에서) 내려와야겠구나라는 생각도 들게 되죠. 팀원들도 계속 여러분을 실망시킬 테지만, 그럼에도 계속 예수처럼 사랑을 퍼줘야 해요. 팀원들을 위해 격리 시켜야 마땅한 직원에게도 웃어야 하는 시기가 있습니다."
우리는 모두를 향해 예수처럼 사랑을 퍼줘야 한다.

BAM 운동의 본질은 세상 속에서의 제자도! 진정한 거룩함은 분리에서 비롯되는 것이 아니라, 성육신 안에 있다! BAMer는 오직 세상 속에서만 진정으로 성장할 수 있다!

BAM 운동은 단순히 선교를 위한 전략을 넘어, 세상 속에서 제자도라는 핵심 가치를 강조한다.

선교적 의도성을 갖고 적극적으로 하향해야 한다. 낮은 곳, 미전도 종족, 소외되고 억압된 계층, 어둠이 세력이 지배하고 있는 문화권, 변혁이 필요한 영역들을 향해 나아가야 한다.

비즈니스는 인류의 역사에서 하나님의 사람이 움직이는 일차적인 원동력입니다.
- DALLAS WILLARD 달라스 윌라드

사회에서 우리는 기념하는 것으로 정체성을 찾습니다. 우리는 하나님의 나라에서 일하는 비즈니스 사람들의 역할을 기념할 필요가 있습니다. 우리는 하나님의 소명과 역할을 각각 개별로 기념하는 것을 그만두어야 합니다.

...비즈니스는 보다 더 높은 부르심입니다. 우리는 이것을 기념하여 우리의 자녀와 그들의 자녀가 비즈니스로 부르심을 받았음을 알게 하고 하나님의 영광을 위해 무엇을 해야 하는지 가르쳐야 합니다.
- STEV SAINT 스티브 세인트

BUSINESS
MISSION

비즈니스 자체를 하나님이 주신 소명임을 깨닫는 관점의 변화가 필요하다.

BAM 어떻게 일해야 하는가?

일하는 목적이 하나님의 영광을 위해야 한다. 일을 통해 하나님께 영광을 나타내야 한다.

너희는 세상의 빛이라... 사람이 등불을 켜서... 등경 위에 두나니 이러므로 집 안 모든 사람에게 비치느니라 이같이 너희 빛을 사람 앞에 비취게 하여 저희로 너희 착한 행실을 보고 하늘에 계신 너희 아버지께 영광을 돌리게 하라 (마 5:14~16)

일의 결과가 풍성한 열매를 맺어야 한다. 하지만, 그 풍성한 열매가 세상의 잣대가 아님을 명심해야 한다.

1) 사회에 선한 영향을 끼침

선을 행하고 선한 사업을 많이 하고 나누어 주기를 좋아하며 너그러운 자가 되게 하라. 이것이 장래에 자기를 위하여 좋은 터를 쌓고 참된 생명을 취하는 것이니라(딤전 6:18~19)

2) 하나님의 역사를 경험

여호와를 의지하고 선을 행하라 땅에 머무는 동안 그의 성실을 먹을거리로 삼을지어다. 또 여호와를 기뻐하라 그가 네 마음의 소원을 네게 이루어 주시리로다 네 길을 여호와께 맡기라 그를 의지하면 그가

이루시고 네 의를 빛 같이 나타내시며 네 공의를 정오의 빛 같이 하시리로다 (시 37:4~6)

BAM 운동의 시작: 당신의 자리에서

거룩함과 부정함의 자리란 없다. 이제 각자의 자리에서 시작하라. 당신이 서 있는 그곳이 거룩한 땅이다. 그곳에서 제자로서 사랑함으로 낮은 곳을 향하여 나가자.

서 연 하

liz9693@naver.com

하모니웰니스 대표
나를 관찰하고 나를 용서하고 사랑하게 되면서 행복을 전하는 강사

치유산업경영학 석사
문화예술치료학 석사

"내가 바꿀 수 있는
유일한 것은
내 자신이다."
<칼 로저>

2천만짜리 자격증을 소개합니다

자격증설 2천만 원 넘게 썼지만,
여러분은 이 책 하나로 한꺼번에 찾으세요.

천만의 말씀 만만의 콩떡

"서 차장은 나한테 잘 보여야 해. 알지? 그 나이에 갈 데도 없잖아."

40대 중반의 여성 싱글, 이직하기에는 전문성이 없었고 자격증이라곤 노후를 위해 취득한 사회 복지사 2급이 전부였다. 직장을 그만두면 나를 책임져 줄 사람도 없다. 그렇기에 곱지 않은 시선을 애써 외면하며 눈치껏 야근을 자처해 버티고 버틴 나에게 던져진 말이다.

내 인생이 부정당하고 한 순간에 폐기물 덩어리가 된 나는 더 이상 버틸 힘이 없었다. 그길로 무작정 서울살이를 정리하고 둘째 언니가 사는 여주시로 내려왔다. 사람이 무서웠고 다시 억지로 웃으며 살고 싶지 않았다. 하지만 일은 해야만 했다. 다행히 여주시엔 물류센터가 많았다. 물류센터 일은 단순했다. 마스크를 쓰고 혼자 조용히

물건을 담으며 아무 생각 없이 일만 했다. 그리고 집에 오면 매일 일기를 쓰듯 그날의 감정들과 주변의 사물을 보며 떠오르는 생각을 썼다. 그렇게 3개월 정도 지나니 분노와 자책이 가라앉기 시작했다.

본의 아니게 침묵하며 혼자 조용히 지낸 3개월이 나를 돌보며 내면에 있는 자아와 만나는 시간이 되었다. 다시 사람들과 어울리는 조직에 들어갈 용기가 생겼다. 마침 여주시 가족센터에서 육아휴직 대체 근무자를 뽑는다는 공고를 보고 6개월 근무를 지원했다, 12월 말에 퇴사가 정해져 있어 미리 퇴사 후의 생활을 준비해야 했다. 사회 복지사로 계속 근무할 것인가 다른 일을 찾을 것인가.

가만히 과거 내 시간을 돌려보고, 제 일을 꾸준히 오래 하는 사람들을 찾아보니 전문직이었다. '나는 강의하는 것을 좋아한다. 그래, 강사를 하자!' 생각을 마치고 나니 몽글몽글 몸에서 열이 나고 기운이 뻗쳤다.

'월 천 버는 전문 강사' 전국으로 강의를 다니며 여행하듯 돈을 벌며 살 거라고 믿었다. 돈도 많이 벌면서 잔소리하는 상사도 없고 임대료를 낼 필요도 없는 다들 부러워하는 인생을 보란 듯이 살 거라고 신나있었다.

과연 내가 바라는 대로 이루어졌을까? 천만의 말씀 만만의 콩떡이다. 아무 전략 없이 달려들어 따기 시작한 수료증과 오히려 득보다 실이 많았다. 추가로 대학원까지 입학하니 돈과 시간이 하염없이 빠져나갔다. 자존감을 바닥치고 다시 회귀하겠다는 것이 결국 나를 더 죽이는 꼴이 되었다.

전래놀이교육과 전국에 있는 연수를 다 따라다녔고 유튜브 1인 방송 진행자 학교를 수료하는 등 전문 강사가 되기 위해 이것저것을 배우다 보니 어느새 2천만 원 이상의 돈과 1년이라는 시간이 지났다. 그럼에도 나는 전문 강사는커녕 보따리 장사꾼 같은 강사처럼 느껴졌다. 이유를 찾아야 했다. 일단 하던 강의들은 마무리하고 새로운 강의는 잡지 않고 이유를 찾겠다며 거창하게 필리핀 세부로 한달살이를 떠났다.

퍼스널 브랜딩

한달살이 어학연수원에 들어가니 아는 사람도 없고 수업 시간 외에는 시간도 남도 외국인들이 많아 영어를 못하는 나는 자연스럽게 고독한 시간이 만들어졌다. 지금 나에게 필요한 것은 무엇일까? 진정 내가 원하고 만족하는 것을 계속 질문했다. 내가 내린 결론은 퍼스널 브랜딩이었다.

먼저 퍼스널 브랜딩이라는 단어 자체가 생소하신 분들을 위해 간단히 설명하자면, 자신만의 고유한 가치를 발굴해서 다른 사람에게 전달함으로써 스스로 영향력을 발휘하는 과정이다. 즉, 나만이 가지고 있는 장점과 매력을 발견하고 그것을 타인에게 어필하면서 자연스럽게 내가 원하는 방향으로 삶을 이끌어가는 것이다. 이 과정에서 우리는 여러 가지 혜택을 누릴 수 있게 된다.

가장 좋은 점은 남들과는 비교할 수 없는 특별한 경쟁력을 가질 수 있다는 것이다. 일상생활 속에서 겪는 불합리한 상황뿐만 아니라 취업준비생이라면 면접관에게 확실한 인상을 남길 수 있고, 창업한다면 고객들에게 신뢰감을 줄 수 있으며, 이직을 원한다면 인사담당자에게 긍정적인 이미지를 심어줄 수 있다. 또한 온라인상에서는 SNS 채널을 활용하면 누구나 쉽게 홍보 활동을 할 수 있어서 적은 시간 투자 대비 큰 효과를 얻을 수 있으니 안 할 이유가 없는 것이다.

퍼스널 브랜딩을 하려면 어떻게 해야 하는지를 보자면 우선 첫 번째로는 자기분석을 해야 한다. 나는 어떤 사람인지, 강점과 약점은 무엇인지, 좋아하는 일과 싫어하는 일은 무엇인지 등 다양한 관점에서 분석하다 보면 자연스레 공통점이 보인다. 두 번째로는 닮고 싶은 사람을 정하자. 닮고 싶은 사람 또는 존경하는 사람을 찾아서 그 사람의 발자취를 따라가 보는 것이다. 세 번째로는 벤치마킹 대상을 찾아보고 주변 지인 중 한 명을 선택해서 그 사람의 말투, 행동, 스타일 등을 유심히 관찰하다가 나와 비슷한 부분이 있다면 적용해 보는 것이다. 마지막으로는 컨셉을 정해야 한다. 위의 모든 과정을 거치고 나면 이제 본격적으로 콘텐츠를 제작해야 한다 우선 대상을 설정하고 주제를 정한 다음 일관성이 있게 꾸준히 올리시면 된다.

퍼스널 브랜딩 꿀조언 좀 알려주자면 사실 정답은 없다. 각자 처한 상황이 다르고 성향이 다르므로 모두에게 맞는 방법은 없기 때문이다. 다만 한 가지 방법을 준다면 최대한 빨리 시작하라는 것이다. 물론 늦었다고 생각할 수도 있지만 아직 늦지 않았다. 오히려 빠른 편이다. 대부분 사람은 이미 너무 늦은 건 아닐지 걱정하기 때문이다. 그러니 일단 시작하고 수정 보완해서 나가시면 된다. 그리고 절대 포기하지 않으면 된다.

주식을 하거나 부동산에 코인까지 사람마다 좋은 투자에 대한 생각과 방법이 다르다. 그렇다면 투자를 왜 할까? 자신의 삶을 좀 더 안정적으로 유지하면서 여유로운 노후를 보내려는 목적이 대부분일거라 생각한다. 투자를 해서 100% 손해나지 않는 투자가 자기 자신에게 하는 투자라고 생각한다. 나를 위해 건강한 음식을 먹고 운동을 하고 공부를 한다면 그건 부동산이나 주식처럼 급격히 떨어질 일이 없다. 따라서 내가 생각하는 최고의 투자는 '나'이다.

나를 끝까지 믿어라.

지금 당장 버는 돈이 적더라도 이번엔 제대로 된 나만의 시간이 필요했다. 세부에서 돌아와 제주도로 가서 아무도 모르는 곳에 나를 던졌다. 명상 공부를 하며 만난 해타스님이 가보라고 한 제주도 천진암 사찰에서 새벽 5시 반에 예불을 드리고 참선하며 시간을 보냈다. 자비경, 축복경 등의 경전을 읽다 보니 '아, 내가 또 오만했구나. 나의 상처들은 완전히 회복되지 않았고 나를 완전히 용서하고 사랑하는 마음이 부족했구나.'를 깨달았다. 온전히 회복했다 생각하고 다시 예전처럼 나를 보채고 불안하게 만들고 있었다.

여전히 나에게 친절하지 않았고 남의 시선을 신경 쓰고 지금의 수입을 따지고 있었다. 사람의 습성이 변하는 건 쉽지 않다는 걸 뼈저리게 느끼고 다시 나에게 기회를 주기로 했다. 그리고 돈과 명예에 대한 욕망이 많다는 것도 인정했다. 좋은사람이라는 프레임에

갇혀 내 안의 욕망을 인정하는게 가장 어렵고 힘들었다. 하지만 인정하지 않고 그대로 산다는건 위선이고 진심으로 내 맘이 평온하지 않았다. 단, 늘 마음속에 부처의 가르침을 받들어 나와 세상을 이롭게 한다는 정신을 깊이 새기고 모든 행동의 지침서로 삼았다.

매 순간 나를 의식하고 남의 시선은 신경 쓰지 않고 진짜 내가 원하는 걸 찾는 시간을 가져야만 원하는 걸 가질 수 있다. 강사라는 직업의 강의료는 3만 원부터 백지수표까지 천차만별이다. 또한, 강의도 유행이 있어 그때 흐름을 잘 타면 돈을 많이 버는 강사가 될 수 있다. 하지만 뿌리가 깊지 않고 하나의 큰 줄기가 없으면 금방 시들어 강사의 생명을 잃게 된다. 어떤 분야를 하고 싶은지를 자신과 충분히 상의를 마친 뒤 자신의 장점과 강점을 살려서 딱 하나만을 선택해서 가면 그 줄기에서 가지가 나오고 잎도 나온다.

가장 힘들었던 시기에 글쓰기를 통해 치유하게 됐고 내 이야기를 책으로 출판하면서 내가 멋져 보이고 자랑스러워졌다. 그렇게 자연스럽게 자존감이 올라갔다. 이 과정을 은퇴를 앞두고 제2의 삶이 막막한 분들께 나누고 싶어졌다. 그래서 이전에 2천만 원을 들여 취득했던 갖가지 자격증들을 뒤로하고 마지막으로 선택한 자격증이 '출판지도사 자격증'이다. 다른 사람에게 꿈과 희망을 주고 그들의 꿈을 함께 이루는 강사! 좋아하는 글도 쓰면서 강의도 하는 나의 평생직을 찾았다.

"내 가치를 네가 정하지 마. 내 인생 이제 시작이고
난 원하는 거 다 이루면서 살 거야!"

'이태원 클라쓰'라는 드라마 중 가장 좋아하는 대사다. 자신을
믿고 정확한 목적지만 있으면 된다. 중간에 길을 헤매거나 속도는
늦을 수 있다. 하지만 나를 믿고 끝까지 가면 미래에 대한 불안이
설렘으로 바뀐다.

서 미 화

min.ai.search@gmail.com

파이낸스투데이기자
과기부인가(사)4차산업혁명선임연구원
소상공SNS지원협회부회장
생성형AI챗GPT강사

"커뮤니케이션은
단순히 정보를
전달하는 것이 아니라,
관계를 형성하는 행위다."
<제임스 헌스만>

왜 당신의 SNS는
아무도 관심을 갖지 않는가?

왜 당신의 SNS 활동이 무시당하는지 원인을 분석하고,
이를 해결하기 위한 실질적인 전략을 제공한다.

소셜 미디어는 오늘날까지 매우 중요한 커뮤니케이션 도구이지만, 많은 사람이 이 플랫폼에서 주목받지 못하는 경험을 한다. 이는 곧 SNS 활동의 어려움을 보여주지만, 디지털 시대에 SNS는 개인과 기업 모두에게 필수적인 존재로 자리 잡았기 때문에 그 중요성은 계속 커지고 있다. 왜 SNS 활동이 어려운지 그 이유를 파악하고, 이를 극복하기 위한 전략을 제공함으로써 참여를 유도하고 성공적인 소셜 미디어 프레즌스를 구축하는 방법을 제시한다. 각 장에서는 구체적인 함정을 식별하고, 창의적이고 지속 가능한 해법을 제시하여 소셜 미디어에서 자신의 목소리를 효과적으로 표현할 수 있도록 돕고자 한다.

왜 SNS가 허공에 머무는 이유

콘텐츠의 질과 일관성 부족으로 고품질의 콘텐츠를 꾸준히 제공하지 못하는 계정은 팔로워들의 관심을 유지하기 어렵다. 일관성이 없거나 흥미롭지 않은 콘텐츠는 쉽게 잊히기 마련이다. 과도한 자기중심적 내용은 SNS 사용자 중 일부는 자신의 관심사만을 반복해서 게시함으로써 타인과의 교류를 소홀히 한다. 이것은 관객과의 관계 구축에 실패하고, 결과적으로 관심을 끌지 못하는 주요 원인이 된다.

최신 트렌드나 플랫폼의 변경 사항을 이해하지 못하고 적응하지 못하는 사용자들은 경쟁에서 뒤처지게 된다. 소셜 미디어는 상호작용이 필수적이다. 게시물에 대한 적극적인 응답과 참여가 없다면, 팔로워들은 소외감을 느끼고 점차 관심을 잃게 된다.

SNS에서 주목받지 못하는 다양한 원인을 이해하는 것은 사용자가 자신의 접근 방식을 재평가하고 필요한 조정을 할 수 있게 한다. 목표는 단순히 콘텐츠를 게시하는 것이 아니라, 의미 있는 관계를 구축하고 지속적인 참여를 끌어내는 것이며, 이를 통해 SNS에서의 성공적인 활동이 할 수 있게 될 것이다.

당신의 이야기가 들리지 않는 주된 함정들

소셜 미디어의 흐름은 빠르고, 경쟁은 치열하다. 많은 SNS 사용자가 자신의 목소리를 효과적으로 전달하지 못하고, 그들의 메시지가 허공에 흩어지는 이유를 명확하게 파악할 필요가 있다. 이 섹션에서는 흔히 발생하는 몇 가지 주요 함정들을 알아보고, 활동 중인 SNS 사용자들이 이러한 문제를 어떻게 경험하고 있는지 살펴본다.

차별성 부족 (인스타그램 예시)

인스타그램 사용자 A는 뷰티 관련 콘텐츠를 게시하지만, 시장에 이미 유사한 수천 개의 계정이 존재하여 특별함이 두드러지지 않는다. A는 창의적인 콘텐츠와 독특한 스타일을 개발하여 차별화를 꾀해야 한다.

감정적 연결 실패 (유튜브 예시)

유튜버 B는 기술 리뷰 비디오를 제작하지만, 단순히 사실만 나열하고 시청자의 감정에 호소하지 않아 관객과의 강력한 연결을 만들지 못한다. B는 자기 경험과 이야기를 곁들여 감정적으로 관객과 소통해야 한다.

인내심 부족 (틱톡 예시)

틱톡 사용자 C는 빠르게 인기를 얻기를 원하지만, 초기의 낮은 반응에 실망하여 일관성 있는 콘텐츠 제작을 중단한다. 성공적인 소셜 미디어 활동은 지속적인 노력과 인내가 필요하다.

플랫폼의 이해 부족 (페이스북 예시)

페이스북에서 활동하는 기업 D는 게시물이 자주 변경되는 알고리즘의 영향을 받아 보이지 않게 된다. D는 알고리즘과 최신 트렌드를 파악하여 콘텐츠 전략을 조정해야 한다.

전략적 마케팅의 부재 (블로그 예시)

블로그 운영자 E는 훌륭한 글을 작성하지만 SEO 최적화를 소홀히 해 검색 엔진 결과에서 좋은 순위를 얻지 못한다. E는 키워드 연구와 SEO 전략을 적용하여 더 많은 독자에게 도달할 수 있어야 한다.

이러한 함정들을 인식하고 개선하는 것은 SNS에서 성공적으로 활동하기 위한 첫 건입니다. 각 사용자는 자신의 플랫폼과 관객을 이해하고, 차별화된 콘텐츠를 제공하여 관심을 끌어야 한다. 이와 함께 인내심을 가지고 일관되게 노력하는 것이 중요하다. 이를 통해 SNS에서의 더욱 효과적인 존재감을 구축할 수 있다.

주목받는 이야기 만들기

SNS에서 두각을 나타내기 위해서는 단순히 존재하는 것만으로는 부족하다. 각기 다른 플랫폼들 인스타그램, 틱톡, 블로그, 페이스북, 유튜브 각각의 고유한 특성과 요구 사항이 있다. 이 섹션에서는 플랫폼별 전략을 활용하여 관심을 끌고 지속적인 참여를 끌어내는 방법을 알아본다.

인스타그램: 시각적 스토리텔링의 힘 활용하기

인스타그램은 시각적 매력이 중심인 플랫폼이다. 성공적인 인스타그램 인플루언서는 매력적인 이미지와 감동적인 캡션을 결합하여 강력한 감정적 연결을 생성한다. 예를 들어, 여행 인플루언서가 환상적인 목적지의 사진과 그곳에서 겪은 개인적인 이야기를 공유함으로써 팔로워들과 깊은 공감대를 형성한다.

틱톡: 순간을 포착하는 창의력 발휘

틱톡은 빠르고 직관적인 콘텐츠로 유명하다. 창의적이고 트렌디한 짧은 비디오를 통해 즉각적인 관심을 끌 수 있다. 예를 들어, 요리 블로거가 간단한 레시피를 독특하고 재미있게 표현하여, 짧은 시간 안에 큰 인기를 얻을 수 있다.

블로그: 깊이 있는 콘텐츠로 전문성 강화

블로그는 전문 지식과 깊이 있는 정보를 제공하는 데 이상적인 플랫폼이다. 예를 들어, 건강 전문가가 정기적으로 건강과 웰빙에 대한 심층 분석 글을 포스팅하여 독자들로부터 신뢰를 얻고, 지속적인 참여를 유도한다.

페이스북: 커뮤니티 구축과 상호작용 강조

페이스북은 광범위한 연령층과 다양한 관심사를 가진 사용자들이 모여 있는 곳이다. 예를 들어, 소규모 비즈니스가 지역 커뮤니티 그룹을 만들어 교류를 활성화하고, 직접적인 고객 피드백을 받으며 서비스를 개선할 수 있다.

유튜브: 교육적 가치와 엔터테인먼트 제공

유튜브는 교육적 콘텐츠와 엔터테인먼트가 결합한 플랫폼이다. 예를 들어, DIY 전문가가 자기 기술을 단계별로 설명하는 비디오를 만들어 시청자들에게 실용적인 가치를 제공하면서 동시에 재미있는 콘텐츠로 관심을 끌 수 있다. 이런 방식으로 유튜브 채널은 교육적인 정보를 제공하면서도, 시청자가 즐겁게 시간을 보낼 수 있는 엔터테인먼트 요소를 더함으로써 다양한 방면에서 시청자의 로열티를 확보할 수 있다.

"왜 당신의 SNS는 아무도 관심을 갖지 않는가?" 나처럼 SNS 활동에 힘든 사람들을 위한 강의커리큘럼을 준비했다.

강의커리큘럼 예시)
강의 제목:
소셜 미디어에서 실패에서 성공으로

강의 목표:
SNS에서 왜 성공적인 참여가 이루어지지 않는지 이해하기

강의 형식:
6주 과정, 주 1회 2시간 수업

주차별 커리큘럼:
1주차: 소셜 미디어의 기초
소개: 강의 목표와 개요

SNS 플랫폼별 기능과 특성 이해하기

SNS가 비즈니스와 개인 브랜딩에 미치는 영향

2주차: 왜 SNS가 허공에 머무는 이유 (1장 기반)

목표 설정의 중요성

전략 없는 콘텐츠의 한계점 식별

사례 연구: 성공적인 SNS 계정 vs 실패한 계정 분석

3주차: 당신의 이야기가 들리지 않는 주된 함정들 (2장 기반)

차별화 실패와 그 영향

감정적 연결을 이루지 못하는 콘텐츠의 문제점

인내심 부족의 결과와 그 해결책

4주차: 주목받는 이야기 만들기 - 파트 1 (3장 기반)

타겟 오디언스 정의와 맞춤 콘텐츠 제작

스토리텔링 기술 개발

참여 유도 콘텐츠 디자인: 강의 및 실습

5주차: 주목받는 이야기 만들기 - 파트 2 (3장 기반)

일관성 있는 콘텐츠 전략 수립

피드백과 데이터 분석을 통한 전략 수정

실시간 상호작용 및 네트워킹 기술 향상

6주차: SNS 전략 실행 및 개선

각 참가자 SNS 계정 실시간 분석 및 피드백 세션

성공적인 SNS 관리를 위한 체크리스트 제공

강의 마무리 및 평가

각각의 소셜 미디어 플랫폼은 그 고유의 특성과 요구하고 있다. 인스타그램에서는 시각적 스토리텔링을, 틱톡에서는 즉각적인 창의력을, 블로그에서는 깊이 있는 전문 지식을, 페이스북에서는 커뮤니티의 힘을, 유튜브에서는 교육과 엔터테인먼트의 결합을 통해 각각의 플랫폼에 맞는 전략을 세우는 것이 중요하다. 이러한 전략적 접근을 통해 브랜드는 각기 다른 SNS 채널에서 주목받는 이야기를 만들어 낼 수 있으며, 이는 브랜드의 장기적인 성공으로 이어질 것이다. 팔로워와의 지속적인 상호작용과 참여를 유도하는 것이 이 모든 활동의 핵심이며, 이를 통해 강력하고 지속 가능한 온라인 존재감을 구축할 수 있다.

성공적인 SNS 활동을 위해서는 뚜렷한 목표 설정, 차별화된 콘텐츠 제공, 적극적인 팔로워 상호작용, 각 플랫폼의 특성에 맞는 콘텐츠 최적화, 그리고 지속적인 참여와 인내가 필요합니다. 이러한 요소들을 통합하여 전략적으로 접근함으로써, 당신은 SNS에서 더 많은 관심을 받고, 결국에는 꾸준히 성장하는 팔로워 기반을 구축할 수 있다. 또한, 시행착오를 통해 얻은 경험을 바탕으로 자신만의 독특한 목소리를 발전시키고, 팔로워와의 실시간 상호작용을 통해 더욱 신뢰받는 존재로 자리매김할 수 있다.

SNS에서 성공하기 위해서는 단기간에 결과를 기대하기보다는, 지속해서 콘텐츠의 질을 개선하고, 팔로워들과의 관계를 깊게 다지는 것이 중요하다. 이 과정에서 정기적으로 자신의 SNS 전략을 재평가하고, 필요한 조정을 가하는 유연성도 필수적이다.

이러한 접근 방식은 단순히 팔로워 수를 늘리는 것을 넘어서, SNS를 통해 진정한 의미의 커뮤니티와 연결을 만들어 가는 데 큰 도움이 될 것이다. 결국, 소셜 미디어는 숫자의 게임이 아닌, 사람과의 연결을 깊게 하는 플랫폼이다. 이를 통해 당신은 단순한 콘텐츠 제공자에서, 영향력 있는 사회적 인물로 거듭날 수 있을 것이다.

윤지원

jiwon4211@naver.com

만나면 행복해지는 힐링교육스타강사 윤지원

"일소일소 일블일부 :
한 번 웃으면 한 번 젊어지고,
한 번 블로그 쓰면 한 번 부자 된다."

퍼스널 브랜딩 블로그로 시작하기!

퍼스널 브랜드 시작하기 위한 가장 쉬운 방법은
블로그입니다. 블로그 쉽게 쓰는 법 알려드려요.

브랜딩의 시작!
네이버 블로그 해야 하는 이유

스타강사를 꿈꾸는 나는 블로그 3개 채널을 운영한다. 네이버 블로그는 개인 아이디 3개 채널, 사업장 아이디 하나 채널, 총 4개의 채널 운영이 가능하다. 물론 나처럼 3개 채널을 운영하라는 것은 아니다. 이 글은 브랜딩을 위한 독자들에게 도움을 주고자 함이다. 퍼스널 브랜딩 [Personal Branding 자신을 브랜드화하여 특정 분야에 대해서 먼저 자신을 떠올릴 수 있도록 만드는 과정을 말한다.]

[출처 : 네이버 국어사전]

나는 시니어 융합 강사로 나를 알리기 위해 블로그와 유튜브 인스타그램을 하고 있다. 그중에 강의 의뢰가 들어온 것은 "블로그보고 전화드렸어요" 이다. 이 글은 '네이버 블로그로 인플루언서 되기! 블로그로 한 달에 이백만 원 벌기!'에 관한 내용이 아니다. 나를 브랜드화하고 나를 알리는 홈페이지 형 블로그로 담당에게 연락이 오게 만드는 내용이다. 물론 유튜브, 인스타그램도 하고 있지만 특히 블로그를 써야 하는 이유는 이렇다.

1. 글을 쓰는 것이라 정보를 수집하는 기능이 된다. 모아두면 전자책이나 책으로 쓸 수 있다.

2. 강의 노트를 정리할 수 있다. 강의한 것을 정리해 두면 언제든지 인터넷상으로 볼 수 있는 저장공간이 된다. 또한 자연스러운 홍보가 된다.

3. 사진. GIF. 동영상 등 활용이 다양하고 첨부 기능을 활용하면 자료 보관도 된다.

4. 에드포스트 신청으로 5만 원이 넘으면 통장으로 자동 입금된다. 가끔 용돈 받으면 기분이 꽤 좋아진다. 5. 이웃과 소통하는 재미가 있다.

블로그로 강의 의뢰가 들어온다. 출강의 90%가 블로그를 통해서 들어오고 있으니, 블로그라는 재미가 쏠쏠하다. 강사의 경우 블로그는 대체로 첫 번째 강의했던 내용을 작성한다. 두 번째 강의하는 내용을 정리해서 작성한다. 세 번째 맛집이나 좋은 곳 소개한다. 강의했던 내용을 작성하는 것은 기본이라면 강의 가고 싶은 곳을 작성한다. 그러면 강의 가고 싶은 곳에서 연락이 온다. 꿈을 꾸면 꿈에 가까이 다가가듯이, 블로그도 내가 가고 싶은 방향을 정하고 작성하면 나의 길이 내 꿈으로 가고 있는 것을 느끼게 될 것이다. '네이버 블로그 보고 전화했어요"라고 하는 전화가 하루에 한 통 이상씩 온다. 우아! 대단하지 않은가? 정말 신기한 세상이다.

동물은 가죽을 남기고 사람은 이름을 남긴다고 했다. 지금은 인터넷상에 이름을 남겨야 한다. 네이버에 내 이름을 검색해 보자! 내가 나오는가? '스타강사 윤지원'이라고 네이버에 검색하면 나온다. 이렇게 인터넷상에 나를 알리는 세상! 그런 세상에 살아남기 위해서는 블로그를 써야 한다.

블로그로 재미있게 말을 만들어 보았다.
일소일소 일블일부 : 한번 웃으면 한번 젊어지고, 한번 블로그
쓰면 한번 부자 된다.
적자생존 : 블로그 적어야 생존한다.
블로소득 : 블로그 쓰면 소득을 얻는다.
일일일포 : 하루에 하나의 블로그를 작성하자
살신성블 : [살신성인 비유] 자기의 몸을 희생하여 블로그로
성공을 이룬다.
블로천금 : 천금같이 귀중한 블로그 글쓰기
일취월블 : {일취월장 비유} 나날이 블로그 글쓰는 솜씨가 늘어남
주경야블 : [주경야독 비유] 낮에는 일하고, 밤에는 블로그 글
쓰고 하루를 마무리한다.

블로그 글쓰기 어렵지 않다. 네이버 블로그 참 쉽다. 따라만 해보자. 블로그 참 쉽게 쓰는 방법 첫 번째 퍼스널 브랜딩의 시작은 프로 필명 정하기이다. 한글 10자, 영문 20자 이내로 정한다. 프로 필명은 나를 대표하는 이름이다. 프로 필명은 나만 아는 것으로 하면 안 된다. 누가 봐도 아! 뭐 하는 사람이구나! 라는 것을 알 수 있도록 하고 이름을 붙이면 좋다.

예를 들면 "커피 여행가 오용석', '은퇴전략가 이원섭'. '향기 테라피스트 향마에'. '생활금융 강사 이교갑'. '콘도왕 김근하 부장' '임현경 굿뉴스 대표'. '잠원동 김 세무사' ,'김이서 전문노래 강사', '농사꾼 김삼섭', '힐링교육 강사 윤지원' 같이 만드는 게 좋다. 이렇게 내가 하는 일에 관련된 프로 필명을 써야 한다. 나와 상관없이 '아니'. '빵지니'. '궁금이'. '시몬', '짱구'. '차니' 등 닉네임을 들었을 때 뭐 하는 사람인지 도대체 알 수 없이 지으면 안 된다. 나의 전문성은 어떤 것이고, 내 콘텐츠는 무엇인지 우선 정리하고, 그 콘텐츠에 내가 최고라고 생각하고 프로 필명을 만든다.

자! 아주 멋진 프로 필명을 만들었는가? 아직 정하지 못했다 해도 걱정할 필요 없다. 우리는 바로 '벤치마킹'이란 게 있기 때문이다. 내가 부동산업을 하고 있다면 네이버 검색창에 '부동산'이라고 쓰고 검색버튼 눌러서 상위 블로거들의 이름을 찾아보자! 우리는 무조건 잘 나가는 사람 따라 하면 나도 잘 나갈 수 있다. 상위 부동산 이름은 '친절한 부동산', '제주부동산 송이공인중개사'. '논현중앙 공인중개사사무소' 부동산은 지역이라는 특성이 있어서 지역을 넣는 경우가 많았다. 지역 이름과 부동산 이름을 넣어서 지어보자. 이렇게 벤치마킹하면 좋은 프로 필명을 아주 쉽게 지을 수 있다.

프로 필명을 정했으면 이제 반은 한 것이나 다름없다. 이제는 간판 이름을 지어야 한다. '저팔계삼겹살'이라는 삼겹살집이 있다. 간판에 '세상에서 제일 맛있는 삼겹살집'이라고 대표하는 글이 쓰여있다. 브랜드의 브랜딩처럼 개인도 간판 이름을 지어야 한다. 블로그 간판 이름은 블로그 컨셉을 대표하는 문구이다.

블로그 간판 이름에서 이 블로그는 무엇을 하는 사람인지 한글 25자, 영문 50자 이내로 정하면 된다. 힐링 강사로 검색해 보니 '웃음, 소통, 감성을 디자인하는 김인숙 강사의 힐링타임', '강사 섭외 명강사특강 강연회', '경북레크레이션 강사 행사웃음치료사 실버레크레이션' 등이 검색된다. 누가 봐도 어떤 일을 하는 사람인지 딱! 느껴지게 지어야 한다. 자! 이것도 걱정 안 해도 된다. 무엇이 있기에? 벤치마킹! 성공한 사람을 따라가면 된다.

세 번째 블로그 대표 사진! 사람의 얼굴은 겉으로 드러나는 상이다. 믿어도 될 상인지, 믿으면 안 될 상인지 얼굴에 드러나 있다고 해도 과언이 아니다. 그렇기에 대표 사진은 아주 중요하다. 대표 사진은 개인 퍼스널 브랜딩이 목적이라면 멋진 프로필 사진 (인물사진)을 넣자. 화사한 정장과 온화한 미소를 연습해서 내 인상을 최대한 믿음직하게 만들어서 블로그 대표 사진에 올리자. '웃는 상은 좋은 상이고, 흉한 상은 근심 있는 상이다.' 중국 마이성서에 나오는 글이다. 환하게 웃는 상에 화사한 정장을 입은 멋진 프로필 사진을 보면 전화가 막 빗발칠 것이다. 프로 필명, 블로그 간판 이름, 블로그 대표 사진을 알아보았다. 퍼스널 브랜딩의 첫 시작 했으니 이제 반은 한 것이다.

대박 나는 블로그 글쓰기 공식!
따라만 하세요.

블로그 글쓰기 제목부터 어떻게 써야 할지 막막하다. 블로그 글은 아주 잘 쓰는데, 제목을 잘 못 쓰는 경우가 아주 많다. 블로그, 유튜브, 책 등 독자의 눈길을 끄는 후킹하는 제목은 항상 중요하다. 우선 제일 중요한 것부터 알고 넘어가자.

블로그에서 제일 중요한 것은 바로 '독자'이다. 내 글을 읽는 독자의 관점에서 써야 한다. 독자층이 누구인지 먼저 생각한다. 그 독자가 봤을 때 검색할 문장을 제목으로 쓰면 좋다. 예를 들면 부동산 블로그에서 제목은 '2024년 부동산 이렇게 준비하면 돈을 번다!', '부동산 명의신탁 분쟁 해결하기', '가족 간 부동산 거래 시 유의사항', '부동산 취득세 취득세율 확인하기' 등 독자가 많이 검색할 만한 문장을 쓴다. 독자의 관점에서 쓰는 것이 첫 번째 원칙이라면 두 번째는 '정보를 자세히 퍼준다.'이다. 잘 모를 때 블로그를 검색해서 알아보려고 하는 경우가 많다. 그래서 나는 아무것도 모르는 사람이라고 생각하고 그 사람에게 상세히 알려준다고 생각하고 쓰면 읽는 입장에서 많은 도움을 받을 것이다.

그것이 네이버 블로그 측의 주요 목적이다. 정보를 서로 나누는 것. 그래서 블로그의 주요 요소는 '글' + '사진' + '영상'이다. 이제 정보를 주는 후킹하는 제목으로 블로그를 시작해 보자.

제목을 정했다면 이제는 본문이다.

본문의 공식은
1. 가볍게 인사 및 동향 쓰기
2. 문제 제기하기
3. 문제 해결하기
4. 행복한 삶 살기이다.

이 공식에 맞추어 글쓰기를 한번 써보자.

첫 번째 인사하고 동향 쓰기. 문구는 구어체로 친근감 있게 쓴다. "안녕하세요. 행복을 함께 하는 윤지원 강사예요. 오늘 날씨가 무척 덥죠? 이제 벌써 초여름인 것 같아요. 낮에는 긴팔이 덥더라고요. 반소매 챙겨입어야겠어요." 동향은 날씨나 기분 등을 쓴다.

두 번째 공식, 문제 제기하기를 써보자. "요즘 들어 머리카락이 많이 빠지고 두피가 엄청 가려워요. 욕실 하수구에 머리카락 버릴 때 보면 가슴이 아파요. 나이를 먹으면서 그런지 환절기라서 그런 가? 마음이 싱숭생숭해요."라고 본문에서 이야기할 내용의 복선을 깔 문제를 제기한다. 문제를 제기해서 공감을 끌어냈다면 독자는 궁금한 호기심으로 가득 찰 것이다. 이때 속 시원하게 해답을 주어야 한다.

세 번째 공식에 맞추어 써볼까? "친구가 마침 자기가 쓰는 샴푸를 추천해 줬어요. 그 샴푸로 머리를 감았더니 하수구에 머리카락이 반 정도 덜 빠지고, 두피가 가려운 것도 사라졌어요. 비듬도 없어지고 지금은 항상 그 샴푸만 써요" 이 예시는 꼭 제품 홍보하는 것 같지만 블로그 공식은 이렇게 4가지로 쓰면 된다.

그러면 마지막 네 번째 공식 해피앤딩이다. "아 지금은 살 것 같아요. 탈모 고민에서 벗어나고 부드러운 머릿결이 참 좋아요. 우리 친구에게 감사하고 있어요. 나이가 들면서 생기는 탈모 고민 이 샴푸로 끝냈어요. 아자 신나신나" 이렇게 공식에 맞추어 쓰면 내용을 고민하지 않아도 되고, 독자 입장에서 가려운 곳을 긁어 주는 역할을 한다. 어떤 내용이든 이 네 가지 공식을 대비해 보자. 글쓰기가 수월해진다. 공식에 맞추어 매일매일 한 달간 써본다.

공식에 따라 썼다면 이제는 풍성한 블로그를 써보자. 풍성한 블로그를 쓰기 위한 조건이 필요하다.

첫 번째 사진은 5장 이상이 좋다. 동영상은 15초 이상으로 촬영한 영상 1개 이상 있으면 좋다. 글자서는 공백 포함해서 1,200자 이상 써본다. 제목은 본문에 3번 이상 반복해서 또 쓴다. 스티커, 인용구, 구분 선, 장소, 링크, 표 등을 사용하여 블로그를 써보자.

풍성한 블로그 글쓰기로 체류시간을 늘리고, 독자에게 읽는 재미를 준다. 처음엔 위의 공식에 맞추어 한 달간 써보고, 블로그 글쓰기에 자신감이 생기고 익숙해 지면 일주일에 한 번 정도는 풍성한 블로그 쓰기를 해보자. 블로그 글을 쓰는 시간이 점점 줄고, 수월해질 것이다. 무엇보다 제목을 본문에 세 번 이상 반복해서 쓰는 것이 매우 중요하다. 블로그를 쓰고 나서 다음 날 정도에 블로그 키워드를 네이버 검색에 써보자.

처음엔 상위노출이 안 되다가 어느 시점에서 한 페이지에 내 블로그가 노출되는 상위노출이 될 것이다. 블로그 글 쓰기의 마무리 해시태그 달기 그리고 발행하기이다. 해시태그는 내 블로그의 주요 단어를 작성하되 띄어 쓰지 않고 #과 붙여쓰기를 하면 된다. 자주 사용하는 해시태그는 메모장에 써 놓고 블로그 글 쓸 때 붙여넣기를 하면 시간을 단축할 수 있다.

글을 다 썼으면 예약 발행할 것이지 바로 발행할 것인지 선택해서 발행한다. 매일 일정한 시간을 정하고 예약 발행하는 것을 추천한다.

블로그 글쓰기 유의 사항이 있다. 사진은 남이 쓰던 사진을 쓰면 안 된다. 다른 곳에서 퍼왔거나 인터넷에 있는 사진을 그대로 쓰지 말자. 내가 직접 찍은 사진이 제일 안전하고, 남이 썼던 사진이라면 크기를 조절하거나 사진을 편집해서 사용하도록 한다. 유의 사항 두 번째 남이 쓴 글을 그대로 쓰지 말 것. 글의 앞뒤나 조사 등을 바꾸어서 내가 쓴 것처럼 쓴다.

블로그 관리에 이웃 만들기는 아주 중요하다. 좋아요. 댓글의 수도 많아야 상위노출이 된다. 서로 이웃 추가는 하루에 100명까지 신청할 수 있고 인사 문구를 미리 써 놓고 서로 이웃 추가 시 문구에 붙여넣기 해서 정성스러운 인사글이 되도록 한다.

예시 "안녕하세요. 저는 인공지능 AI를 주제로 블로그를 하는 지원쌤이라고 합니다. 좋은 글이 많아서 소통하고 싶어 서로 이웃 추가 신청합니다. 날씨가 매우 따뜻합니다. 좋은 이웃으로 정보 나누어요. 감사합니다." 이렇게 서로 이웃 추가 인사말을 작성해 두어 하루에 50명 정도 매일매일 신청하여 이웃 수를 늘린다.

좋아요. 댓글도 이웃 블로그에 가서 시간 날 때마다 달아준다. 그러면 나한테 답방해 주는 이웃이 있다. 이렇게 품앗이로 서로 이웃 추가, 댓글, '좋아요'를 해주어 블로그 지수를 높이는 활동을 해야 한다.

대박 나는 블로그 글쓰기 공식 4가지와 풍성한 블로그 글쓰기를 습관화하자. 점점 글을 쓰는 재미가 생기고 "블로그 보고 전화했어요."라는 전화를 받으면 환호를 지를 것이다. 이블전블 : 이씨도 블로그 하고, 전씨도 블로그 한다. 퍼스널 브랜딩의 시작은 블로그로부터!

어떤가? 따라만 했더니 블로그 쓰기 참 쉽지 않은가? 이제 슬슬 블로그 글쓰기에 재미가 있다면 이제는 당신은 레벨 업 해야 한다. '나는 생각한다. 고로 나는 존재한다.'라고 데카르트가 그랬던가? '사람은 성장한다, 고로 존재한다.'라고 윤지원은 말한다. 첫 단계는 그냥 쓰는 것부터 한 달간 해보고, 이제는 그냥 쓰는 것이 아니라 수익을 내는 방법으로 써야 한다. 첫 번째 수익화는 네이버 애드포스트 신청이다. 네이버 애드포스트는 내 블로그 글에 블로그 내용에 나올 듯한 상품의 광고를 게재한 후 그 광고 클릭 수에 따라 발생한 수익을 배분받는 광고 매칭 수익공유 서비스이다. 애드포스트 광고를 게재하려면 여러 가지 조건에 해당하여야 한다. 첫 번째 블로그 개설한 지 90일 이상이 되어야 한다. 두 번째 대한민국 국적이어야 한다. 세 번째 실명이 인증된 네이버 아이디를 보유하여야 한다. 네 번째 제세공과금 부담이 가능한 19세 이상 성인이어야 한다. 다섯 번째 광고 매체로서의 품질보장이 되는 블로그여야 한다.

광고 매체로서의 품질보장 블로그란 그럼 무엇일까? 방문자 수, 페이지뷰, 게시글, 이웃 수를 본다고 할 수 있는데 네이버 측에서 구체적인 숫자로는 표기되어 있지 않아서 보통은 이웃 수가 500명 이상이고, 일 방문자 수 100명 이상, 페이지 뷰나 게시글이 어느 정도 올라와 있어야 한다.

애드포스트 광고를 달려면 우선 꾸준하게 글을 작성해야 하고, 서로 이웃 추가로 이웃 수를 늘려놓아야 한다. 그리고 인기 있을 만한 글을 써서 방문자를 늘리는 전략을 쓴다. 내 경우 보통 일 방문자 수 100명 정도면 3개월에 5만 원 정도의 광고 수익을 받는다. 블로그를 어느 정도 썼다고 생각하면 꼭 애드포스트 신청을 추천한다. 블로그 쓰기만 했는데 돈이 입금되면 보너스 받은 기분이라 그날은 행운의 날처럼 느껴진다. 그 돈으로 나는 나를 위한 선물을 사거나, 맛있는 것을 사 먹는다. 애드포스트 신청하는 방법은 네이버 검색창에 '네이버 애드포스트' 입력하여 홈페이지에 접속한다. 시작하기를 눌러 나의 블로그를 등록한 후 검수를 신청하면 된다. 검수 기간은 영업일로부터 5일 정도 소요된다. 애드포스트에 등록되면 새 글을 등록하면 광고가 달리는 것을 볼 수 있다. 그 광고를 독자들이 얼마나 클릭하느냐에 따라 수익액이 달라진다. 어떤 광고가 붙느냐에 따라서도 수익이 다르다. 블로그 통계에 애드포스트 수익 보는 화면도 있으니 내가 어떤 블로그에 얼마의 수익이 붙었는지 보면서 블로그 글 작성 시 도움을 받으면 된다. 나에게 주는 짭짤한 광고 수익 '네이버 애드포스트' 전략적으로 신청해 보자.

네이버 블로그 꾸준히 쓰는 법

강사로 전화 오게 하려면 블로그 써야 한다. 주변 강사에게 블로그 쓰면 연락이 온다고 꼭 추천한다. 함께 블로그 챌린지를 하거나 독려한다. 그렇지만 바빠서 못 쓰는 예도 있고 사진 찍는 것이 습관이 안 돼서 못 하는 예도 있고 무엇을 쓸지 몰라서 못 쓰는 경우 글이 잘 안 써져서 못 쓰는 경우 등 하루가 그냥 지나가 버리는 경우가 많다.

그 이유는 블로그 쓸 때 욕심을 내서 그렇다. 잘 쓰려고 하는 욕심, 내 콘텐츠를 조금 더 포장하려는 욕심, 이 블로그 내용으로 뭔가 이루겠다는 욕심 등 우선 잘 쓰겠다는 욕심을 버려야 한다. 잘 쓰려고 하면 이것저것 따지는 게 많아져서 시간이 오래 걸린다. 안 그래도 초보가 시간이 오래 걸려 정성스럽게 쓰다 보면 며칠 못 쓰고 포기하고 만다. 처음에는 사진 한 장 글 한 줄부터 시작한다. 예를 들면 달달한 당이 딸릴 때 커피믹스 한잔 생각난다면 믹스커피 사진 한창 찍어 올리고, "달달한 커피믹스가 생각나는 오후~ 아자 지원아, 힘내자!" 이렇게 나에게 응원 한마디 해줄 수 있고, 길가에 벗꽃이 활짝 이쁘게 피었다면 사진으로 담은 뒤 화사한 벗꽃이 피었다. 내 인생도 피었다. 라고 쓰기도 하면서 그날의 감정을 써보자. 이렇게 가볍게 시작해서 조금씩 늘려가면 된다. 사진 두 장씩 올려보고, 오늘은 동영상 15초 찍어서 올려보기도 한다. 처음엔 이렇게 놀면서 쓰면서 사부작사부작 글 수를 늘려가면 된다. 명심할 것은 잘하려는 욕심을 버리고 쓰자는 것이다.

블로그 꾸준히 쓰는 법 두 번째는 스마트폰 음성으로 생각날 때 바로바로 쓴다. 이따 써야지 하면 바쁜 일이 생겨서 못 쓰고 넘어가는 날이 많이 생긴다. 지하철에서 이동 중에도 쓰고, 잠깐 의자에 앉아서 쉴 때도 쓰고 생각나는 대로 조금씩 써서 저장해 두고 다시 글을 불러서 쓰도록 하자. 한꺼번에 많은 양을 쓰려고 하지 말고, 스마트폰 음성으로 조금씩 써 두는 것을 추천한다. 욕심을 버리고 쓰기! 스마트폰을 조금씩 쓰기! 이렇게 쓰면 블로그 쓰는 습관이 들어 매일매일 쓰는 것이 재미있어질 것이다.

퍼스널 브랜딩의 시작은 블로그로부터 한다. 무료이면서 유튜브처럼 수익 나기 어렵지도 않고, 글, 사진, 영상 등 나를 표현하는 방법이 풍부하며 나의 글을 보면서 공감하는 이웃들이 생기는 설렘을 가지고 꼬박꼬박 용돈 타면서 쓰는 블로그 지금 시작하자. 나에게 연락이 오게 하는 블로그 'Bridge'라고, 표현한다. 나와 그를 만나게 해주는 소통의 다리. 내 블로그를 보고 연락을 주는 사람은 대부분 나와 결이 같은 사람들이다. 글은 참 신기하게 나와 비슷한 사람들을 연결해 준다. 좋은 인연을 만나는 곳 바로 네이버 블로그 지금부터 당장 시작하자.

홍은희

saizen345@naver.com

스마트폰을 잘 사용하고 싶어 배우기 시작해
8년째 강의를 하는, 기관담당자들이 찾는 강사

스마트폰 배우고 익혀 스마트한 삶과 강의를 시작해 보세요

"스물이든, 여든이든
배우기를 그치는 사람은 늙는다.
그러나 계속 배우는 사람은
젊음을 유지한다."
〈헨리 포드〉

이제 당신이
디지털 생활의 중심!

컴맹, 기계치가 스마트폰을 다루면서

전문 강사가 되어가는 과정

스마트폰! 그걸 배운다고?

90년대 초 휴대폰이 보급되고 스마트폰으로 진화하면서 이제는 거의 모든 사람이 스마트폰을 갖고 있다. 올 초 통계청 자료에 따르면 대한민국 인구 5천2백만 명에 휴대전화 가입자 수는 7천만 대를 넘었다고 한다. 1인 1폰 시대를 넘어선 것이다. 스마트폰에 대해 본격적으로 공부하기 시작한 건 2017년부터였다. 그전엔 소유만 하고 있었고 제대로 활용하지 않았다.

무역회사에서 중국과 일본을 오고 가며 일을 했다. 출장 중에는 한국 휴대전화로 로밍서비스를 이용했는데 2003년 당시 한 달 휴대전화 요금이 80만 원이 넘게 나와 중국과 일본에서 현지 휴대폰을 마련해 두고 일을 했다. 한 달 중 1주일은 한국, 1주일은 중국, 나머지 2주는 일본에서 보냈다. 한국에서 일하는 시간이 짧아 한국 휴대폰은 구입한지 3년이 지났어도 구입시 액정에 접착된 보호필름도 떼지 않은 채 사용했었다.

휴대전화 가게 직원들이 권해 주는 거로 구매해서 사용했는데 2017년 어느 날 저장공간이 부족하다는 메시지가 계속 나왔다. 당시는 검색이 익숙하지 않아 대리점을 찾아가 문의했다. 저장공간을 확보할 수 있는 여러 가지 방법이 있을 것 같았는데 휴대전화 가게 직원들은 새로운 기기 권유만 했다. 몇 군데를 방문해도 약속이나 한 듯 답변은 기기를 바꾸라는 말뿐이었다.

바꿀 때 바꾸더라도 알고 바꾸자는 생각에 공부를 시작했고, 마침 종로에서 스마트폰 교육이 있다고 해서 찾아가게 되었다. 덕분에 휴대폰을 바꾸지 않고서도, 저장공간 문제없이 1년간 마음껏 사용한 후 교체했다. 스마트폰에 관해 공부하면 할수록 생각지도 못했던 신기한 기능들이 많았고, 간단한 터치 한 번으로 새로운 세상이 열려 재미있었다. 심지어 컴퓨터에서 해야 하는 일들을 스마트폰에서도 할 수 있었다.

컴퓨터나 기계 활용에 대해서는 두려움이 있었는데 스마트폰을 열심히 하면 컴맹을 탈출할 수 있을 것 같았다. 당시 카빙을 하기 위해 제주도 이사를 준비했는데 집 계약금을 포기할 정도로 스마트폰 공부는 매력 있었다. 좀 더 욕심내서 자격증도 취득하고 카빙 홍보를 위해 SNS 마케팅을 공부하게 되었다. 주변 사람들에게 알려주기도 하고, 소속된 곳에서 강의하고 외부 강의도 하게 되면서 강사의 길을 걷기 시작했다.

처음엔 그저 재미있어서 하게 되었는데 시간이 지날수록 보람도 느끼고 꾸준히 강의가 이어지면서 지금까지 이어오게 되었다. 스마트폰 활용지도사 자격증 과정과 1인미디어 크리에이터 과정에 인공지능 분야를 더하니 강의의 폭이 넓어졌다. 스마트폰 활용에 익숙해지니 외면했던 컴퓨터를 가까이 하고 싶어지고 이제는 컴퓨터 자격증반 강의도 하고 있다.

스마트폰? 나보다 똑똑한 비서 맞네!

이제 스마트폰은 필수품이 되었다. 어쩌다 한 끼를 건너뛰더라도 스마트폰 없이 한 시간을 버티는 것도 힘든 일이 되었다. 일상의 전화 통화나 소통보다도 내 손 안의 컴퓨터, 24시간 비서라 할 수 있을 정도로 중요해졌다. 업무지시나 소통을 카카오톡으로 하기도 하고 은행 업무, 결제, 쇼핑, 정보검색 심지어 서류 전달까지도 스마트폰에서 이루어지고 있다. 의식주보다 더 중요한 필수품이 되었다.

어떤 이들은 '스마트폰 그걸 배워야 하나? 그냥 몇 번 터치해 보면 바로 알 수 있는데'라고 하는데 실제로 스마트폰 강의를 들어본 사람들은 생각지도 못한 기능들을 확인하며 신세계가 열렸다며 똑똑한 비서를 이제부터는 잘 활용해야겠다고 한다. 이렇게 배운 기능들을 연습하고 주변 사람들에게 알려주면서 좀 더 체계적으로 배워 자원봉사 활동을 하거나 강의를 시작하는 이들이 늘고 있다.

스마트폰에는 기본적으로 탑재된 기능뿐 아니라 애플리케이션을 설치하면 많은 일을 할 수 있다. 내가 하는 말을 입력해 주는 기능에서 묻는 말에 대답하고 때로는 상담까지 해준다. 서류를 만들고 자료관리, 문자·이미지·영상 생성, 편집, 전송을 비롯해 전 세계 사람들과 시공간을 초월해 소통할 수 있다.

업무에서도 언제 어디서든 도장을 만들어 서류에 첨부해서 팩스로 주고받을 수 있고, 회사 홍보자료까지도 만들 수 있다. 스마트폰은 배우면 배울수록 할 수 있는 것들이 많아서 컴퓨터를 몰라도 컴퓨터에서 했던 그것보다 훨씬 더 많은 일들을 할 수가 있게 된다. 오히려 컴퓨터를 스마트폰의 보조 수단으로 사용하면서 조금씩 익숙해져 스마트폰도 컴퓨터도 능숙하게 다루게 된 경우도 많이 있다.

2017년 제주에서 보조 강의 할 때의 일이었다. 정치 쪽 관련 있는 20여 명이 모인 곳에서 스마트폰 활용에 대한 특강이 실시되었다. 문자메시지나 카톡을 보낼 때 자판에서 글자를 입력하지 않고 말로 하면 바로 입력이 되거나 녹음되어 전송할 수 있는 기능에 대해 수업을 진행하고 있었다. 잘 따라 하시도록 한분 한분 살피는데 갑자기 수강생 한 분이 놀라면서 나를 끌어안으며
"이런 놀라운 기능이 있었다니"
하면서 어린아이처럼 펄쩍펄쩍 뛰며 좋아하셨다. 자기에게 꼭 필요한 기능이었다며 좋아하는 모습에 강의장 전체가 웃음바다가 되기도 했다.

스마트폰에서 글씨 하나를 입력하기 위해 자판을 두세 번씩 터치하는 것이 일반인보다 손이 두꺼운 남성들은 익숙해지기까지 시간이 필요하다. 7년이 지난 요즘도 강의장에서는 이러한 기능을 처음 사용한다는 분들이 많다. 얼마 전 지인의 어머니는 '휴대전화기에 말하는 대로 문자 쳐주는 앱이 뭐'고 물어보셨다고 한다. 주변에서 하는 걸 보고 직접 묻지 못하고 딸에게 알려달라 했는데 딸도 모르는 기능이었다고 한다.

한번은 강의가 끝난 후 한자를 입력할 방법이 없느냐는 질문을 했다. 한글로 입력해서 한 글자씩 변환하는 방법을 알려드렸더니 눈이 휘둥그레지며
"이게 되네?"
하며 너무 좋아하셨다. 휴대전화 가게 몇 군데를 가도 그런 기능은 없다고 안 된다고 했는데 알려주어 정말 고맙다고 하시면서 지갑에서 5만 원권 지폐를 꺼내 주셨다. 마음만 받겠다고 거절했지만, 오히려 내가 더 감사했다.

이분은 오랜 기간 한문학을 연구하고 가르쳐 오신 분이었다. 스마트폰에 적응해 가면서 한글보다 더 익숙한 한문을 스마트폰에서도 사용하고 싶어 대리점 직원들에게 문의 해도 불가능하다는 답변만 받았는데 한꺼번에 해결해 드리니 큰 고민거리 하나가 해결된 것이었다.

갤러리에 시간 순서대로 저장된 이미지를 주제별로 분류해 저장하기도 하고, 촬영한 이미지에 간단한 메모를 하거나 감동 문구를 넣어 지인에게 보내기도 할 수 있다. 함께한 추억이 담긴 사진에 좋아하는 음악을 첨부해 영상으로 보내는 방법을 하나씩 배워가면서 전에는 생각지도 못했던 일들을 스마트폰 하나만으로 해가면서 새로운 세상을 만나기도 한다. 명함을 만들어 전송도 하고, 증명사진을 찍어 전송하면 3일 만에 집으로 인화된 사진이 도착하기도 한다.

내 얼굴로 캐리커처를 만들거나 이모지를 만들기도 하고 편집한 사진으로 실제 달력을 만들기도 한다. 이제는 인공지능이 강화된 앱이 많아 조금만 배우면 스마트폰 하나만으로 공부도, 놀이도, 여가 시간도 즐겁게 보낼 수 있다. 언제 어디서든 묻는 말에 기대 이상의 답을 해주고, 일정을 체크해 주는 기능을 접하신 분들은 '스마트폰이 자식보다 낫다'라고 하신다.

스마트폰은 업그레이드되면서 일반인들이 좀 더 쉽고 편하게 사용할 수 있도록 사용환경 UI(user interface)이 좋아진다. 스마트폰을 다루는 데 익숙해지면 업그레이드가 되어도 금방 적응하면서 쉽게 활용하고 지인에게 알려줄 수 있게 된다.

디지털? 스마트폰? 내가 알려줄게.

내가 배운 것을 주위 사람들에게 알려주기 시작하면서 2017년부터 강의를 시작했다. 경기도 일자리재단 4050 재취업 지원사업의 일환으로 실시된 스마트폰 활용 강의를 시작으로 강사 활동의 길이 열렸다. 중구여성플라자를 비롯해 동대문·성북·용산·성동구 평생학습관, 동네배움터, 동대문·송파문화재단에서 스마트폰 활용강의를 하고있다. 더 나아가 스마트폰 활용지도사 강사양성은 물론 1인미디어크리에이터, 메타버스, 스마트폰에서 만나는 인공지능 강의를 하고 있다.

인천국제공항 항공 관제탑 직원들과 국토교통부 수원 국토관리사무소 직원들을 위한 스마트폰 활용 강의를 통해 다양한 직업군을 만나며 다양한 업무에서 어떻게 하면 스마트폰을 활용하여 업무를 효율적으로 할 수 있을지 연구할 수 있었다. 쌍용자동차에서 조기 은퇴자들을 위한 재취업특강을 하면서 대기업들이 은퇴자들을 위한 교육에도 많은 예산이 편성되어 있음을 알 수 있었다.

2022년에는 메타버스 강사격증을, 23년에는 인공지능 강사자격증을 취득하고 책을 쓰면서 꾸준히 공부했다. 일반인들이 메타버스 인공지능을 어떻게 하면 쉽게 일상에서 활용할 수 있을지 스마트폰과 접목하게 시키는 방법을 연구했다. SK텔레콤에서 만든 메타버스 플랫폼 이프랜드에서 현재 인플루언서로 활동하면서 메타버스 관련 강의를 하고 있다. 특히 청소년과 부모들에게 현실과 가상 세계 공간을 넘나드는 새로운 세상에서 현실에서 이루지 못했던 꿈을 이루어 보고 소통할 수 있도록 도움을 주고 있다.

지난해 인공지능이 세간을 떠들썩하게 하면서 올해는 스마트폰에서도 활용할 수 있는 프로그램들이 많이 출시되어 강의에 활용하고 있다. '스마트폰에서 만나는 인공지능'. '스마트폰과 AI는 내 친구'를 주제로 일상에서 어떻게 인공지능을 내 친구 겸 비서처럼 활용할 수 있을지 수업을 진행하고 있다.

컴퓨터를 다루지 못해도, 모든사람이 스마트폰을 '내 손안의 비서, 내 손 안의 컴퓨터'로 맞이해, 일상에서 업무에서 충분히 활용할 수 있도록 돕고 있다. 각 지역의 평생학습관에서는 꾸준히 스마트폰 활용지도사 자격증과정과 강사과정을 진행하고 있다.

OO구청에서 대면으로 스마트폰 활용지도사 자격증반 수업을 3개월간 진행했다. 수강생 50%가 시험에 응시하여 모두 합격했다. 현재는 동아리를 결성하여 매주 온오프라인에서 각각 1회씩 공부를 하고 있다. 자원봉사와 보조강사를 시작으로 강의를 경험하면서 이제는 강사 활동을 하고 있다. 지자체에서 운영하는 어디나지원단, 디지털 세대이음, 디지털 배움터 강사, 서포터즈로 활동하면서 스마트폰을 배우려고 시작했는데 직접 강의까지 하면서 상상도 못 했던 세상이 열리고 있다며 고마워하신다.

처음 강의를 시작할 때 수강하는 이유를 질문했다. 대부분 스마트폰을 잘 활용하고 싶어서라고 대답했다. 한 분은 얼마 전 봉사활동을 하는데 함께 하는 동료가 실력 면에서는 자신과 별반 차이도 없는 것 같은데 스마트폰 활용지도사 자격증이 있다며 자신감이 넘쳐서 일하는 모습을 보면서 기회가 되면 꼭 취득하리라 마음먹었고 마침 기회가 되어 참여한다고 했다.

많은 수강생이 수업 후 자격증을 취득하고 자원봉사와 보조강사를 경험하면서 강의를 시작하고 있다. 오랜 시간 공부하고 실력을 쌓아야 누군가를 가르칠 수 있는 분야와 달리 스마트폰은 어제 배워 오늘 연습하고 내일은 누군가에게 알려줄 수 있는 분야이다.

다음은 스마트폰 활용지도사 과정에서 공부하는 내용이다.

1. *나만 몰랐던 스마트폰 기본 설정 확인하기*
2. *스마트폰에 자리 잡은 인공지능 찾아보기*
3. *사진 촬영! 이것만 알면 전문 사진작가 부럽지 않다.*

4. 포토샵 필요 없다! 1분 만에 이미지 편집, 카드뉴스 만들기

5. 홍보영상 만들기

6. 스마트폰만 있으면 나도 동시통역사

7. 문서관리! 나는 스마트폰에서 한다.

8. 스마트한 비즈니스맨 되기

이외에도 개인정보 보호, 키오스크, 쇼핑, 은행 업무 등 다양한 주제로 수업이 진행된다.

스마트폰을 더 스마트하게 사용하면서 시대 흐름에 발맞춰 나가기 위해서 스마트폰 공부는 꼭 필요하다.